폴란드의 '춘향전'이라 불리는 사랑 이야기

중단된 멜로디

La Interrompita Kanto

엘리자 오제슈코바 지음
카지미에시 베인 에스페란토 번역
장정렬(Ombro) 옮김

중단된 멜로디

인　쇄 : 2024년 3월 2일 초판 1쇄
발　행 : 2024년 5월 8일 초판 2쇄
지은이 : 엘리자 오제슈코바 지음
　 - 카지미에시 베인 에스페란토 번역
옮긴이 : 장정렬(Ombro)
펴낸이 : 오태영(Mateno)
출판사 : 진달래
신고 번호 : 제25100-2020-000085호
신고 일자 : 2020.10.29
주　소 : 서울시 구로구 부일로 985, 101호
전　화 : 02-2688-1561
팩　스 : 0504-200-1561
이메일 : 5morning@naver.com
인쇄소 : TECH D & P(마포구)

값 : 15,000원
ISBN : 979-11-93760-03-1(03890)

폴란드의 '춘향전'이라 불리는 사랑 이야기

중단된 멜로디
La Interrompita Kanto

엘리자 오제슈코바 지음
카지미에시 베인 에스페란토 번역
장정렬(Ombro) 옮김

진달래 출판사

에스페란토판 정보
Eliza Orzeszkowa
La Interrompita Kanto
kun la permeso de l' aŭtorino tradukis el la pola lingvo
Kabe (Kazimierz Bein)
(laŭ) kvara eldono

Paris, Esperantista Centra Librejo, 1928

차   례

작가의 작품 세계[1]

폴란드 문학은 고통스러운 상실을 맞았습니다. 엘리자 오제슈코바는 1910년 5월 18일에 별세했습니다.

작가는 자신의 위대한 재능을 오직 조국과 조국을 위해 봉사하는 데에만 사용했으며, 그녀의 모든 작품은 가장 숭고하고 관대한 감정에서 영감을 받았습니다. 작가의 인상적인 지성과 따뜻한 마음은 현대의 모든 중요한 문제를 흡수하여 예술적 형식을 부여했습니다.

생각의 지평이 넓어 오제슈코바는 폴란드 문학의 가장 큰 작가들과 어깨를 나란히 하며, 일류 작품들로 폴란드 문학을 풍부하게 만들었습니다. '기본에 충실하라' 는 모토에 충실한 작가는 국민 생활을 치유하고 재강화하는 어렵고 부담스러운 과업을 짊어지는 이들 앞에 섰습니다. 강력한 말로 계급과 종교적 편견, 가난한 사람들에 대한 착취를 없애보려고, 사회가 모든 권리를 거부하는 불행한 사람들의 끔찍한 운명을 개선해 보려고 했습니다. 인간의 존엄성, 품성의 힘, 선함과 아름다움의 힘을 찬양했습니다.

이 특별한 여성 작가의 삶에 대해 좀 더 알아보면, 작가는 1842년 폴란드 (*역주: 오늘날 리투아니아) 그로드노Grodno 근처 민토브시치즈나Mintowszczyzna에서 부유한 지주의 딸로 태어났습니다. 17세 소녀였던 그녀는 부유하고 훨씬 나이 많은 지주인 표트르 오제슈코(Pjotr Orzeszko)와 결혼했습니다. 결혼 생

---

1) <La Brita Esperantisto>(N-ro 069), Septembro (1910) 자료에서 번역함.

활은 완전히 불행했고, 5년간 동거 끝에 오제슈코바는 1863년 정치 활동으로 인해 시베리아로 추방되었고, 다시 친정으로 돌아왔습니다. 나중에 그로드노로 이사하여 그곳에 바쁜 삶이 끝날 때까지 머물렀습니다.

오제슈코바는 첫 작품 『기근의 해의 그림』을 1866년에 발표했습니다. 이미 이 겸손한 소설은 미래의 위대한 작가가 가려고 하는 길을 드러냈습니다. 그 속에서 우리는 이미 작가로서의 재능과 사고방식의 주요 특징, 즉 인간의 불행에 대한 무한한 연민과 노동, 상속받지 못한 사회계급에 대한 사랑을 찾을 수 있습니다.

작가 마음을 사로잡은 두 번째 관점은 여성 문제였습니다. 약하고, 불운하고, 실제 삶의 장애물에 맞서 싸울 준비가 되지 않은 사람들을 낳은 것은 당시 근대 교육의, 결함 있는 시스템에 있다고 보고, 작가는 용감하고 놀라울 정도로 신중하게 동포들에게 그러한 결점과 실수의 거울을 제시하기 시작해, 여성의 권리와 의무, 사회적 지위에 관한 호소를 동시에 발전해 갔습니다.

작가는 소설 『마르타(Marta)』, 『바클라바 기념서』, 『그라바 부인』 등에서 이러한 견해를 표현했습니다. 문제에 대한 깊은 이해, 신랄한 아이러니, 유형에 대한 뛰어난 특성화로 구별되는 이 작품들은 큰 사회에 큰 관심을 불러일으키고, 작가 관심을 가장 넓은 범위에서 돌렸습니다.

작가의 글쓰기의 첫 번째 시기 이후, 그 경향은 예술성에 자리를 내주었고, 두 번째 시기인 히브리어 문제를 연구하는 단계로 이어졌습니다. 작가는 영구 거주지인 그로드노에서 히브리인들의 도덕적, 물질적 비참함을 직접 눈으로 보았습니다. 작가는 그들의 극도로 독창적인 문화, 미신, 보수주의, 후진성에 충격을 받았습니다. 그러한 배경에서 그녀는 관찰의 힘, 감정의 깊이, 진실의 현실성으로 인해 탁월한 걸작으로 인식될만한, 일련의 장엄한 소설을 만들었습니다. 『Eli Makower』, 『Meir Ezofowicz』 또는 『힘센 삼손Samson』, 『Gedale』와 같은 단편소설조차도 시인의 인간성, 이타주의, 고귀한 마음의 영원한 증인이 될 것입니다.

이 영역의 생각, 욕망, 문제, 이상의 별도 세계에서 오제슈코바는 사회의 다른 계층으로 이동하여 먼저 백러시아 마을 주민의 삶에 관심을 돌려 조국에 대한 사랑을 찬양했습니다.

그러나 작가는 리투아니아의 가난한 귀족을 소개하면서 소설계에서 그녀의 가장 큰 재능을 보였습니다. 그들은 이미지의 아름다움, 그림 같은 배경, 관찰의 선명도로 인해 폴란드 문학의 진정한 보석인 3권의 소설 『네만강 옆에서 Apud Niemen』으로 시작되었습니다.

별도의 카테고리에는 이상주의적 낙관주의가 침투한 매우 광범위한 사회적 주제를 다루는 작품인 『양극』, 『중단된 멜로디』 및 『Ad Astra』가 포함됩니다.

오제슈코바는 고대 세계에서도 낯선 사람이 아닙니다. 자신의 민족과 로마인 사이에서 선택을 망설이는 히브리 여인의 잔혹한 이야기인 『미르탈라』와, 리디아인과 페르시아인의 관계를 제시하는 『권력의 팬』은 남다른 학식과 고상한 예술적 형식을 보여줍니다. 작가의 마지막 작품은 1863년 폴란드 봉기의 불행한 사건을 다룬 단편소설집입니다.

폴란드 문학은 오제슈코바보다 더 훌륭하고 영광스러운 재능을 가지고 있지만, 그녀는 자신의 이상을 결코 배반하지 않았으며 자신의 주된 생각에 모든 힘을 쏟았으며, 그녀의 경향에도 불구하고, 모든 작품을 특징짓는 이타적인 사고방식이라는 영감을 주는 작품을 결코 해를 끼치지 않은 점에서 그들을 능가합니다.

오제슈코바의 탁월한 작품들은 모든 슬라브어뿐만 아니라 영어, 독일어, 프랑스어, 이탈리아어, 핀란드어 등으로 여러 번 번역되었습니다. 에스페란티스토들은 또한 작가의 문학에 걸맞게 장편소설 『마르타(Marta)』를 비롯하여, 단편소설 『중단된 멜로디 La Interrompita Kanto』, 『선한 부인(Bona sinjorino)』, 『A..B..C..』, 『전설Legendo』 같은 작품을 번역하여, 에스페란토 문학을 풍성하게 만들었습니다.

크라코프에서 레온 로센스토츠크(Leon Rosenstock)

Ĉapitro I

Ĝi estis unu el tiuj dometoj, kiuj ŝajnas rideto de la kamparo, aŭ ĝia eĥo, falinta inter la urbajn stratojn kaj domojn. Malgranda, blanka, kun balkoneto sur du kolonoj, ĝi staris en nezorgata ĝardeno, kiu ĝuste pro la nezorgado ŝajnis verda kaj freŝa densejo. Ĝi tute ne posedis korton; de la strato apartigis ĝin parto de la ĝardeno kaj tabula ĉirkaŭbarilo tiel alta, ke oni povis vidi nek de la strato la dometon, nek de la fenestroj de la dometo la straton. De malproksime — angulo kvieta kaj hela; de proksime — preskaŭ ruino, kies muroj kurbaj de maljuneco, malzorge blankigitaj per kalko, duone kaŝiĝis en la verdaĵo de supren rampanta fazeolo. Krom la fazeolo iom da floroj kreskis antaŭ la balkoneto, sur kiu staris du mallarĝaj kaj malnovaj benkoj.

La ĉambroj de la dometo estis malgrandaj kaj malaltaj, la plankoj maldelikataj, la kamenoj malgraciaj, el verdaj kaheloj.

Tra la pordo de la kuirejo enkuris en unu el la ĉambroj Klaro Wygrycz kantante, ĉar ŝi kantis ĉiam, kiam ŝi estis kontenta.

제1장

　소도시 도로와 농촌 마을 사이에 자리하여, 저 멀리서 보면, 외딴 벌판의 미소나 메아리처럼 보이는 가옥이 한 채 있다. 가옥에는 기둥 2개가 받쳐주는 발코니가 함께 있다. 이 가옥은 사람 손길이 닿지 않은 초록의 신선한 덤불 같아 보이는 황량한 정원 안에 자리하고 있다. 이 가옥은 마당이 없다. 이 가옥은 정원 일부와 높다란 목조의, 격자형 울타리로 인해 도로와 구분이 되어, 도로에서 보면 이 가옥이 잘 보이지 않거니와, 또 이 가옥 창가에서도 그 도로를 볼 수 없다. 멀리서 보면 -조용하고도 밝은 모퉁이라 할 수 있다. 가까이서 보면 -폐허에 가까울 만큼, 사방의 허름한 벽은 굽은 채 있고, 하얀 석회가 아무렇게나 칠해져 있고, 가옥 절반은 그 가옥 위로 타고 올라간 콩 덩굴의 녹음 속에 가려 있다. 좁고 낡은 벤치 두 개가 놓인 작은 발코니 앞에는 콩 덩굴 말고 꽃도 몇 송이 피어 있다.

　이 집의 방들도 규모가 크지 않고 높이는 낮다. 매끈하지 못한 마룻바닥과 녹색 타일로 만든 벽난로는 보기에도 우아함이란 없다.

　부엌문을 지나 한쪽 방으로 클라로 비그리치 Klaro Wygrycz 가 노래 부르며 달려갔다. 그녀는 항상 기쁠 때 노래 부른다.

Ŝi havis perkalan veston kun ruĝaj kaj grizaj strioj, tolan antaŭtukon; ŝiaj manikoj estis falditaj ĝis la kubutoj.

Per la manoj ĵus lavitaj, ankoraŭ ruĝaj de la malvarma akvo, ŝi rapide demetis la antaŭtukon, kunvolvis ĝin kaj metis en tirkeston de malnova komodo, pensante: „Mi jam devas ĝin lavi, ĝi estas tre malpura" Poste ŝi malfaldis la manikojn kaj metis en sian korbon pecojn de tondita perkalo, tondilojn, fadenojn, fingringon. Ŝi ĉirkaŭrigardis la ĉambron kaj de la bretaro ŝi prenis libron, kiun ŝi ankaŭ metis en la korbon kune kun peceto da pano, alportita el la kuirejo. Tiam ŝi ekkantis valsan melodion: La, la, la! la, la, la! kaj kuris sur la balkonon. Tie ŝi haltis, rigardis la fazeolon kaj la florbedon. La fazeolo jam estis kovrita de ŝeloj, sed tie ĉi kaj tie restis ankoraŭ inter ĝiaj grandegaj folioj kelke da fajre ruĝaj floroj. Klaro deŝiris unu kaj enŝovis ĝin inter siajn nigrajn harojn, kiuj friziĝis sur la frunto kaj falis en liberaj bukloj sur la nukon kaj ŝultrojn. La ruĝa floro ŝajnis inter ili malgranda flameto.

La knabino ne estis perfekte bela, sed ŝi posedis la freŝecon de deknaŭ jaroj kaj la ĉarmon de siaj vivaj movoj, rigardoj kaj ridetoj. Ŝi ridetis ankaŭ nun rigardante la ĝardenon. Ŝi sentis sin gaja, ŝi jam plenumis ĉiujn devojn kaj estis tute libera dum du horoj.

그녀는 빨간색과 회색 줄무늬가 있는 퍼케일[2] 평직으로 만든 드레스와 아마포 앞치마를 입고 있다. 그녀 소매는 팔꿈치까지 접혀 있다.

차가운 물에 방금 씻은 터라 여전히 빨개진 두 손으로 서둘러 자신의 앞치마를 벗어 말고, 그녀는 낡은 서랍장 서랍에 그 앞치마를 넣어두면서. '이걸 벌써 빨아야겠네, 너무 더럽네'라고 생각했다. 그러고는 접었던 소매를 펴고는 이미 잘라 둔 퍼케일 천과 가위, 실, 골무를 바구니에 담았다. 방을 한 차례 둘러본 뒤 서가에서 책 한 권도 꺼내, 부엌에서 내온 빵 한 조각과 함께 그 바구니에 넣었다. 그다음 왈츠 멜로디로 노래 부르기 시작했다.

"라, 라, 라! 라, 라, 라!"

그러고는 발코니를 향해 달려갔다. 발코니에 멈춰 서서 콩 덩굴과 화단을 바라보았다. 콩은 이미 콩 껍질로 덮여 있다. 하지만, 커다란 잎사귀들 사이에 아직은 밝고 붉은 꽃이 몇 송이 남아 있다. 클라로는 꽃 하나를 꺾어, 이마 위쪽이 곱슬머리인 자신의 검정 머리카락 사이에 꽂고, 자신의 목과 어깨 위로 아무렇게나 머리카락을 내려뜨렸다. 붉은 꽃은 검정 머리카락 사이에서 작은 불꽃처럼 보였다.

클라로 아가씨는, 완벽하게 아름답지는 않아도, 청순함을 자랑하는 19살이다. 생기 있는 동작과 눈길, 웃음이 매력이다. 그녀는 다시 한번 정원을 바라보며 살짝 웃는다. 그녀가 당연히 해야 할 일을 이미 마쳤으니 유쾌하다. 앞으로 2시간은 완전 자유다.

---

2) 역주: 면으로 된 평직물(씨실과 날실을 한 올씩 엇바꾸어 가면서 짠 천)의 하나. 인도나 프랑스에서 많이 생산되며, 올이 촘촘하고 부드러워 주로 침구용으로 사용된다. 시원하고 부드러운 특징을 가지고 있고, 밀도가 높은 직물로 제작되어, 부드럽고 시원한 터치 감을 제공하며, 통기성이 우수함.

La patro estis en la oficejo, la frato en la lernejo, la fratino en la kudrejo; la tagmanĝo, jam tute preta, atendis ilian revenon en la forno.

Ordiginte la loĝejon kaj kuirinte la tagmanĝon, ŝi estis iom malsata. Tial ŝi prenis en la korbon peceton da pano.

Ŝi manĝos en la siringa laŭbo — la plej amata loko, en la fino de la ĝardeno, ĉe la krado, kiu ĉirkaŭas la princan parkon.

Ĉiufoje, kiam ŝi pasigis tie unu horon aŭ du tute sola, nur kun sia laboro kaj kun siaj pensoj, ŝi fariĝis gaja.

La viva kiel fajrero knabino amis la solecon. La juna kapo havis siajn zorgojn. Kaj nenie ŝi sentis sin tiel sola, nenie ŝi povis pensi tiel senĝene, kiel en la siringa laŭbo. Tie, malantaŭ la malalta krado, estis ombra aleo de maljunaj arboj, kiuj disiĝis kontraŭ la laŭbo, montrante post vasta herbaro malgrandan, sed belan palacon, kun du turoj kaj kun tri vicoj de altaj, mallarĝaj fenestroj. Pro la silento, kiu ĉiam regis ĉirkaŭe, la griza, grandioza palaco ŝajnis io mistera. La fenestroj ĉiam estis fermitaj, la ĝardenon vizitis neniu, krom la ĝardenistoj, kiuj ordigis la vojojn kaj herbarojn. Proksime de la laŭbo estis malgranda pordego, ĉiam fermita. Parko bela kaj zorge konservata, sed sen promenantoj.

Klaro sciis, ke la posedanto, princo Oskaro, neniam loĝas tie.

아버지는 사무실에 출근하시고, 남동생은 학교에 있고, 누이는 재봉소에 가 있다. 이미 완벽하게 준비된 점심은 그들이 난로로 돌아오기만 기다리고 있다.

집 청소를 마치고 점심 준비도 끝내니, 그녀는 좀 허기를 느꼈다. 그래서 가져온 바구니에서 빵 한 조각을 집어 들었다.

그녀는 라일락 나무 정자 - 이 집 정원 끝이자 왕자공원을 둘러싼 목책의, 격자 울타리 곁이자, 자신의 가장 좋아하는 자리-에서 먹을 작정이다.

온전히 혼자, 자기 일만 하면서, 때로 자신만의 생각 속에서 한두 시간을 보내는 동안이 그녀에게는 늘 즐겁다.

불꽃처럼 생기있게 살아가는 이 아가씨는 고독을 사랑했다. 젊은 아가씨 머리에는 자신만의 걱정거리가 많기도 하다. 하지만 그녀가 이 라일락 나무 정자에서처럼 자신이 외롭다고 느낀 곳도 없지만, 이곳에서처럼 자신을 자유로운 생각에 잠기는 곳도 없다. 저기, 정자와 마주 보는 낮은 격자 울타리 뒤로, 군데군데 자리한 고목들이 만들어 놓은 그늘진 산책로가 있다. 그 고목의 나무들 사이사이를 통해, 넓은 초원 뒤편에, 2개의 탑과 3줄의 높게 자리한 좁은 창문들이 달린, 크지 않지만 아름다운 궁전이 보인다. 그 위엄스런 회색 궁전은 항상 주위가 고요해서 뭔가 신비롭게 보인다. 창문은 늘 닫혀 있고, 여러 통행로와 풀을 관리하는 정원사를 제외하고는 아무도 그 정원을 방문하지 않았다. 그 나무 정자 근처에 작은 출입문이 하나 있지만, 늘 닫혀 있다. 세심하게 관리된 아름다운 공원이지만 산책하는 이는 없다.

클라로는 이 궁전 주인인 오스카로 Oskaro 왕자가 이곳에는 한 번도 살지 않았음을 잘 알고 있다.

Cetere, tute ne interesis ŝin, ĉu la palaco havas, aŭ ne havas loĝantojn, sed pro instinkta komprenado de beleco, ŝi ĉiam plezure rigardis la luksan konstruaĵon.

Nun, sidante sur mallarĝa benko, inter du siringaj arbetoj, ŝi ne rigardis la palacon, ne admiris ĝian belecon. Ŝi diligente kudris. Antaŭ ŝi sur malgranda tablo unupieda staris la korbo kun pecetoj de perkalo kaj kun libro inter ili. Ne venis ankoraŭ la tempo legi kaj admiri. La laboro estis urĝa. Ŝi aĉetis antaŭ nelonge perkalon por ses ĉemizoj por la frateto, kaj la kvara ne estis ankoraŭ finita. Kiam la ses estos pretaj, ŝi komencos rebonigi la tolaĵon de la patro kaj poste ŝi devos kudri veston por si, ĉar la du, kiujn ŝi posedis, estis jam eluzitaj.

Tiom da elspezoj! Eĉ plej malkara vesto kostas multe. La malgranda salajro de la patro devas sufiĉi por ĉio. Ĝis nun ŝi sukcese gardis la egalpezon de la budĝeto, sed la patro ne ĉiam havas ĉion, kion li bezonas pro sia aĝo kaj malsanemo: nutran manĝaĵon, fruktojn...

La penso pri la manĝo rememorigis al ŝi la peceton da pano, kiun ŝi havis en la korbo; ŝi demordis iom, metis la panon sur la tablon kaj daŭrigis la kudradon.

En la sama momento en la aleo, kiu ĉirkaŭis la parkon, iris de la palaco viro alta kaj tre gracia;

더구나, 이 궁전에 거주자가 있는지 없는지 별 관심이 없다. 하지만 아름다움에 대한 본능적 이해 때문에, 그녀는 늘 저 호화 건축물을 즐거이 바라보는 습관이 있다.

이제 두 그루의 작은 라일락 나무 사이에 자리한 좁은 벤치에 앉은 그녀는 궁전을 바라보지 않고, 궁전의 아름다움도 찬미하지도 않는다. 그녀는 열심히 바느질했다. 그녀 앞의, 발이 하나 달린 작은 탁자에는 퍼케일 천이 여럿 담긴 바구니가 놓여 있고, 그 천 조각들 사이에 책 한 권이 놓여 있다. 그 책을 읽으며 감탄할 시각은 아직 아니다. 일이 우선이다. 그녀는 얼마 전에 남동생의 셔츠 6벌을 지으려고 퍼케일 천을 좀 사 두었고, 그 6벌 중 넷째 옷은 아직 마무리하지 못했다, 그 6벌을 완성하고 나면, 아버지가 입을 셔츠 옷을 다시 좋게 만들고, 나중에 자신의 옷도 만들 예정이다, 그녀가 가진 옷 2벌은 이미 낡았다.

가사에 들어가는 돈이 엄청 많다! 가장 값싼 옷조차도 이 가족에겐 비싸다. 박봉인 아버지 급료로 이 모든 것을 위해 써야 한다. 지금까지는 아버지 급료로 다행히 가정 경제의 균형을 맞추었다. 하지만 아버지는 자신의 나이로 인해 질병이 생길 때를 대비해놓을 것 즉 영양이 되는 음식이나 과일은 늘 다 챙겨 두지 못했다.

먹거리 생각에 그녀는 자신의 바구니에 넣어둔 빵을 떠올렸다. 빵을 한 입 베어 먹고, 다시 그 빵을 탁자에 두고 뜨개질을 이어갔다.

바로 그 시각, 공원을 에워싼 통행 도로에 키가 크고 매우 우아한 모습의 한 남자가 그 궁전에서 걸어 나왔다.

en hejma sed eleganta vesto, en malgranda felta ĉapelo sur siaj malhele blondaj haroj. La ovalo de lia vizaĝo estis delikata kaj pala, la vangoj glate razitaj; la malgrandaj lipharoj ombris la maldikajn lipojn, iom ironiajn, iom enuajn. Li estis tridekkelkjara, liaj movoj estis junaj, lertaj, iom malzorgetaj.

Li iris en la komenco kun klinita kapo, sed poste li levis ĝin por rigardi kaj admiri la arbojn de la parko. Ili staris senmovaj, en la kvieta aero kaj en la oro de l'suno. La aŭtuno jam flavigis la foliojn. De l'tempo al tempo la sekaj folioj kun kraketo dispeciĝis sub la piedoj de la iranto, kiu, malrapidigante la paŝojn, direktis la rigardon al la du verdaj muroj de la aleo: de l'pintoj, oraj kaj ruĝaj de l'suno, ĝis la dikaj trunkoj, kovritaj de muskoj, kvazaŭ de verdaj ĉifitaj puntoj.

Ĉarma anguleto, li pensis, kvankam malgranda kaj en malgranda urbo. Sed eble ĝi estas ĉarma ĝuste tial, ke ĝin plenigas tia silento, kian ne eblas trovi en la grandaj urboj, eĉ en la plimulto da grandaj princaj kamparoj.

Longe vivi en tia loko povus nur monaĥo, sed mallonga gastado estus agrabla. Tia kvieto trankviligas kaj igas sonĝi. Inter ĉi tiuj arboj oni dezirus vidi idilion. Ĉu nur vidi? Eble ankaŭ ludi rolon en idilio same naiva kiel la fabeloj pri amo de la paŝtistoj,

가정에서 입는 세련된 복장이다. 어두운 금발 머리에는 작은 가죽 모자가 덮여 있다. 그의 달걀 같은 얼굴은 미묘하고 창백하고, 양 볼은 매끈하게 면도가 되어있다. 작은 콧수염은 좀 아이러니하고 좀 지루한 듯한 얇은 입술에 그늘을 만들었다. 남자는 서른 살쯤 되어 보였다. 그의 행동거지는 젊고 능숙하지만, 품행은 좀 가볍다.

그는 처음에는 고개를 숙인 채 걸었지만, 나중에 머리를 들어 공원 나무들을 바라보며 감탄했다. 나무들은 고요한 공기와 황금 태양 속에서 아무 움직임이 없다. 가을은 이미 나뭇잎들을 누렇게 만들어 놓았다. 때로, 마른 나뭇잎들이 걸어가는 그 남자 발아래서 바스락 소리를 내며 부서진다. 남자는 발걸음을 늦추며, 산책로의 양쪽 초록 벽에 눈길을 두고 있다. 태양에 비친 금빛의 붉은 나무꼭대기를 올려다보고 또 마치 초록으로 대패질한 레이스로 만든 것 같은 이끼로 뒤덮인 두툼한 나무 둥치를 본다.

비록 소도시라도, 여기는 고즈넉하고 매력적이라는 생각이 들었다. 하지만 아마 이곳이 한적하기는 해도, 도회지나, 왕자의 대규모 영지領地가 있는 시골에서는 볼 수 없는, 그런 고요함으로 충만된 점, 바로 그 때문에 아마 매력적인가 보다.

이런 곳에 오래 머무름은 수도사들만 가능하리, 그래도 내가 잠깐 머무름은 유쾌하리. 고요한 환경은 사람에게 평정심을 되찾게 하고, 사람을 꿈꾸게 한다. 이곳 고목의 나무들을 쳐다보면서 그 남자는 순진무구한 사랑을 보고 싶다. 보기만 할 것인가? 순진무구한 사랑 속에서 그 자신이 배역을 맡으면, 그는 목동의 사랑과 같은 동화처럼 똑같이 천진스럽고,

same sekreta kiel la nestoj, kaŝitaj en la verdaĵo.

Tiaj revoj ne estas tre saĝaj, la loko naskigas ilin, ili malaperos kiel vantaj sonĝoj, lasante malĝojon sur la fundo de la koro dum kelkaj horoj. Cetere, kio estas saĝa en la mondo?

En la brua vivo de l' homoj oni trovas tiom da saĝo kiom da malsaĝo; tia opinio estas eĉ tro optimista. La procento da saĝo estas tre malgranda; la vero same rilatas la malveron. Montru al mi en la mondo homon — miraklon, kiu ne konas ŝajnigon, kaŝemon, koketecon, flatemon! La viroj estas flatemaj, la virinoj koketaj, oni eĉ povas iafoje trovi ambaŭ bonajn ecojn ĉe unu persono. Amikeco de la viroj, amo de la virinoj estas ŝerco de la naturo, montranta al la homoj idealojn, por ke ili restu dum la tuta vivo infanoj, persekutantaj papiliojn.

Sed oni ne povas ĉiun trompadi senfine. La sperto, eĉ ne tre longa, konvinkas, ke la kaptita papilio fariĝas baldaŭ abomena kadavreto. Tiam oni eksopiras al kvieta soleco, odoranta idilion — la blagon de la poetoj. Ĉar en la realo la idilia paŝtistino havas grandajn ruĝajn manojn kaj magnetan inklinon al la monujo de sia paŝtisto.

Tie ĉi, malproksime de la mondo, bone estus legi Rochefoucauld'on. Kia malhela kaj preciza pentro de la malhela vivo! Oni nepre devas veni ĉi tien kun Rochefoucauld kaj legi sub la arboj... Sed ĉu estas tie ĉi benkoj?

초록 속에 숨은 둥지처럼 똑같이 비밀스럽다.

그걸 꿈꾸는 것은 그다지 현명하진 못하지만, 이곳 장소가 그 꿈을 꿈꾸게 한다. 하지만 그 꿈은 몇 시간 동안 연인의 심장 저 밑바닥에 슬픔만 남기고 허무하게 사라질 것이다. 더구나, 세상에서 현명하다는 것은 뭘까?

사람의 바쁜 일상에는 현명만큼이나 어리석음도 있는 법이다. 이 생각은 너무 낙관적이기도 하다. 현명의 함량은 아주 적다. 진실은, 마찬가지로, 거짓과 연결이 된다. 내게 이 세상에서 이런 사람을 보여주오 -젠체하지도 않고 숨김, 아양, 칭찬을 모르는 기적 같은 사람! 남자는 비위를 맞추는데 재주꾼이고, 여인은 교태를 부리는데 능하다, 때로 사람에게는 이 두 가지 성질이 함께 있기도 하다. 남자의 우정이나 여인의 사랑이란 그 당사자를 평생 나비들이나 쫓아다니는 어린아이로 남게 하고, 이상理想을 보여주는 자연의 놀림감으로 만들어 버린다.

하지만 사람은 누구나 끊임없이 거짓말하지는 못한다. 사람은 자신의 경험, 아주 짧은 경험을 통해 그렇게 나비를 잡지만 곧 그게 안타깝게도 그 나비가 주검이 되어 버린다는 것을 확인한다. 그때 사람들은, 그 순진무구한 사랑의 향기가 풍기는 고요한 고독을 -시인들이 장난삼아 던지는 허풍에 다시 끌린다. 실제로, 순진한 여자 목동은 자신의 붉고 큰 손으로 자신의 남자 목동 친구 지갑에 자석처럼 끌리게 된다.

세상에서 멀리 떨어진 이곳의 독서가라면, 라로슈푸코 Rochefoucauld[3] 공작 작품을 읽는 편이 낫다. 그 작가는 어두운 삶이란 암흑 그 자체임을 얼마나 정확하고도 잘 표현해냈던가! 이곳에 그 작가의 작품을 가져와, 저 고목의 나무 아래서 그 작품을 읽어야 한다... 그런데 여기에 벤치는 있을까?

---

3) *역주: 프랑수아 6세 드 **라로슈푸코 공작**(François VI, Duc de La Rochefoucauld, 1613 ~ 1680)은 프랑스의 귀족 출신 작가이자 모랄리스트.

Por vidi, ĉu en la maljuna ombra aleo estas loko, kie li povus sidiĝi kun Rochefoucauld, li levis la kapon kaj ekmiregis.

Kelke da paŝoj antaŭ li, tuj malantaŭ la krado, knabino en perkala vesto kun ruĝaj kaj grizaj strioj sidis sur mallarĝa benko sub siringa arbeto kaj diligente kudris. Ruĝa floro flamis en ŝiaj nigraj haroj, nigraj bukloj volviĝis sur la klinita nuko kaj sur la kolumo de la korsaĵo. De meza kresko, delikata kaj gracia, kun pala vizaĝo kaj ruĝega buŝo ŝi estis plena de freŝeco kaj ĉarmo.

La rapideco de ŝia kudrado ne malhelpis ŝin preni de tempo al tempo pecon da pano, kuŝanta sur tableto el du dikaj, fendiĝintaj tabuloj. Ŝi demordis peceton kaj maĉante ĝin reprenis la laboron. La pano estis bruna, la dentoj, kiuj profundiĝis en ĝin, egalaj kaj blankaj, kiel perloj. Du, tri minutojn ŝi kudras, kaj ree la mano kun brilanta fingringo etendiĝas al la peco, pli kaj pli malgranda, sed la laboro progresas. La kunkudrado de du pecoj de perkalo estos baldaŭ finita. Ankoraŭ unu mordo, ankoraŭ kelkaj steboj kaj fine la blankaj dentoj tratranĉas ne la panon, sed la fadenon: la knabino rektiĝas, rigardas la laboraĵon kaj sendube ŝi trovas, ke ĝi estas bona, ke la pano estis bongusta, ke la vetero estas bela, ĉar el ŝia buŝo elflugas gaja valsa melodio.

— La, la, la! la, la, la! la, la, la!

고목들이 만들어 놓은 그늘진 산책로에 그가 라로슈푸코 작품과 함께 앉아 쉴 수 있는 곳이 있을지 보기 위해 고개를 들었는데, 그때 깜짝 놀랐다.

그의 바로 몇 걸음 앞, 격자 울타리 바로 너머, 붉은 줄과 회색 줄을 가진 퍼케일의, 옷 복장을 한 아가씨가 작은 라일락 나무 아래 좁은 벤치에 앉아 열심히 바느질하고 있었다. 붉은 꽃이 그녀의 검은 머리카락에서 빛났고, 굽은 목덜미와 윗옷의 깃 위로 검은 머리카락이 흘러내렸다. 중간 키에 섬세하고 우아한 모습의 그녀는 흰 얼굴과 앵두 같은 입술로 상큼함과 매력이 넘쳤다.

그녀의 빠른 바느질도 때로는 두껍고 갈라진 2쪽의 널빤지에 놓인 빵을 입가로 가져가는 것을 막지 못했다. 그녀가 빵 한 조각을 깨물어 씹으면서 다시 바느질을 이어갔다. 빵은 갈색이고, 빵 속에 깊게 박힌 그녀 치열은 진주처럼 가지런하고 희다. 그녀는 2, 3분 동안 바느질하고, 다시 빛나는 골무를 든 손을 더욱 작아져 가는 천으로 뻗지만, 바느질은 순조롭다. 퍼케일 천 두 조각을 하나로 꿰매는 일은 곧 완성되었다.

한 번 더 빵을 입에 물고, 몇 번 더 꿰매자, 그녀의 하얀 이는 이제 빵이 아닌 실을 자른다. 아가씨는 몸을 똑바로 펴고 자신이 공들인 작품을 바라보니, 의심할 여지 없이, 잘 된 바느질에, 맛있는 빵에, 날씨 좋음에 그녀 입가에 경쾌한 왈츠 멜로디가 흘러나온 것으로 살필 수 있다.

"라, 라, 라! 라, 라! 라, 라, 라!"

La junulo iris antaŭen kelkajn paŝojn de la arboj, tra kies brançoj li observis la knabinon. La sekaj folioj ekkraketis sub liaj piedoj.

La knabino sin turnis al la sono, kaj timo larĝigis ŝiajn brilantajn pupilojn. Du, tri jarojn ŝi jam venas ĉi tien, sed neniam ŝi vidis promenanton en la parko. Sed la timo ne daŭris longe.

La eksteraĵo de la juna homo faris bonan impreson. Li estis ĝentila homo, ĉar kiam liaj okuloj renkontis la rigardon de la knabino, li levis la ĉapelon kaj malkovris belan frunton kun profunda sulko inter la brovoj. Ĉi tiu sulko sur juna frunto estis rimarkinda, same kiel la longforma blanka mano, levanta la ĉapelon.

Kelke da sekundoj li ŝajnis ŝanceliĝi aŭ konsideri, poste li rapide proksimiĝis al la krado kun la ĉapelo en la mano kaj demandis tre ĝentile:

— Permesu demandi vin, fraŭlino, kiu loĝas en ĉi tiu bela dometo?

Lia rigardo montris la duonruinon, dronantan en la fazeola verdaĵo.

Klaro, iom konfuziĝinte, respondis:

— Ni loĝas tie...

Sed tuj ŝi korektis:

— Mia patro, Teofilo Wygrycz, mi, mia frato kaj fratino.

La maniero de ŝia parolado montris bone edukitan knabinon, al kiu ne mankas spiritĉeesto.

한편 젊은 남자는 나무들이 있는 쪽으로 몇 걸음 앞으로 나아갔고, 나뭇가지들을 통해 아가씨를 관찰했다. 마른 잎이 그의 발아래서 바스락 소리를 냈다.

아가씨가 그 바스락 소리에 눈을 돌렸는데, 그녀의 빛나는 눈동자가 깜짝 놀라 두려움으로 넓혀졌다. 그녀는 2 - 3년 전부터 평소에 여기에 나와 있어도, 이곳 공원을 산책하는 이를 본 적이 별로 없다. 그러나 그 두려움은 그리 오래가지 않았다.

젊은 남자 외모가 좋은 인상을 풍겼다. 청년은 자기 눈이 아가씨 눈길과 만나자, 자기 모자를 살짝 들고는 인사했다. 눈썹 사이에 깊은 주름이 있는, 아름다운 이마를 보이는 예의 바른 사람이다. 이 청년의 이마 주름 하나가, 모자를 들어 올리는 길쭉한 흰 손과 마찬가지로, 눈에 띄었다.

그는 흠칫 몇 초간 머뭇거리며 고민하다가 자신의 모자를 손에 들고, 재빨리 그 격자 울타리로 다가가 매우 정중하게 물었다.

"물어봐도 될까요? 아가씨!. 저 아름다운 집에 누가 삽니까?"

그의 눈길은 이미 녹색 콩 덩굴 속에서 허름한 집을 가리켰다.

약간 당황한 클라로는 이렇게 대답했다.

"저희가 거기 살아요..."

그러나 즉시 그녀는 이렇게 정정했다.

"아버지 테오필로 비그리치 Teofilo Wygrycz, 나, 남자 형제하고 누이가 살아요."

그녀 말투는, 재치가 부족하지 않은, 교육을 잘 받은 모습을 보여주었다.

— Agrabla loko, rimarkis la juna homo.

— Oh, tre! — ŝi jesis kun la okuloj plenaj de ravo; — tiom da verdaĵo kaj kvieto!

— Nesto trankvila, — li diris kaj aldonis: — Kiu plantis antaŭ la domo la belajn kreskaĵojn, kiuj tiel pentrinde ĝin ombras?

Kontenta de la laŭdo, ŝi respondis kun brilantaj okuloj:

— Ĉu ne belege kreskas en ĉi tiu jaro la fazeolo? Mi plantas ĝin kun mia fratino ĉiun printempon, sed neniam ankoraŭ ĝi estis tiel alta kaj densa...

— Vere, ĝi estas mirinde alta kaj densa. Sed mi vidas florbedon. Ĉu ankaŭ la florojn vi plantis aŭ semis?

— Iom da levkojo kaj rezedo... nur malmulte, mi kaj mia fratino ne havas tempon kulturi pli multe.

— La fratino estas pli maljuna?

— Kontraŭe, kvar jarojn pli juna...

— Ŝi do estas?...

— Dekkvinjara...

Ili eksilentis; ŝi ree konfuziĝis, mallevis la vizaĝon al la laboraĵo kaj komencis kudri; li apogis sin al la krado, rigardis ŝin kaj restis. Ŝia konfuzo devenis ĝuste de la maniero, per kiu li ŝin rigardis.

Li ĵus demetis la ĉapelon, kaj sub la frunto kun profunda sulko liaj bluaj okuloj ŝerce ridetis. La teniĝo, la maniero paroli iom malrapide kaj skandante la silabojn,

"참 아담한 곳이군요." 청년은 말했다.

"오, 그럼요, 엄청!" 그녀는 꿈꾸는 듯한 눈으로 동의했다. "녹지도 넓구요, 조용하거든요!"

"아담하고 조용한 둥지이군요." 그는 그렇게 말하고 덧붙였다. "누가 집 앞에 촘촘한 그늘을 만들어 주는 아름다운 농작물을 심어 놓았을까요?"

그 칭찬에 만족한 그녀는 빛나는 눈으로 대답했다.

"올해 저 콩이 아름답게 또 풍성하게 자라지 않았나요? 매년 봄이 되면, 누이와 함께 콩을 심었어도, 올해처럼 저렇게 키가 크고 또 짙은 그늘을 만들어 놓지 않았거든요..."

"실로, 정말 놀랍도록 키도 크게 자랐고, 그늘도 짙게 만들어 놓았네요 그런데 꽃밭에 있는 저 꽃은 심은 거요? 꽃씨를 뿌린 거요?"

"작은 꽃무와 목서초를 말하는가요?... 단지 조금 심었어요, 누이와 내가 더 많이 돌볼 시간은 없었지만요."

"누이와는 나이 차이가 크나요?"

"네 살 어려요."

"그럼 그 누이, 몇 살인가요?"

"열다섯요."

두 사람은 침묵했다. 그녀는 다시 혼란스러워 고개를 숙여, 중단했던 바느질을 이어갔다. 그는 격자 울타리에 기댄 채 그녀를 바라보며 그곳에 머물렀다. 그가 그녀만 뚫어지도록 바라보자, 그녀는 깜짝 놀랐다.

방금 모자를 벗은 청년의 파란 눈은 깊은 주름이 있는 이마 아래서 놀리듯 웃고 있다. 자세히, 좀 천천히 말하며, 각 음절을 또박또박 말하는 모습과, 낯선 사람의 눈빛에 나타난 미소는 전혀 무례하지도 않지만, 그 자신감과 귀족 풍의 외모는 그 아가씨를 혼란스럽게 했다.

la rideto de la okuloj de la nekonato tute ne estis neĝentilaj, sed lia memfido kaj aristokrata ŝajno konfuzis la knabinon. Krom tio ŝi sciis, ke juna fraŭlino ne rajtas longe paroli kun nekonataj viroj, sed bruligis ŝin la scivolo: kiu li estas? De kie kaj kiel li aperis en ĉi tiu loko, ordinare senhoma? Ŝi pensis: kiamaniere demandi? — sed ŝi trovis nenian konvenan esprimon. Ŝi do kudris, kaj amaso da pensoj rapidis en ŝia cerbo unu post alia: Eble li foriros? Eble mi devas leviĝi kaj foriri? Ne, tio estus malĝentila; kial forkuri? Mi ja estas en mia propra laŭbo. Li reiru, de kie li venis! Kiu li estas? Li estas beleta... Lia voĉo estas tre agrabla...

Li, post kelkaj silentaj minutoj, reparolis per voĉo vere tre agrabla, mola kiel veluro:

— Kion vi faras?

Ne levante la kapon kaj okulojn, ŝi respondis:

— Ĉemizon por mia frato...

Ŝi ne vidis la rideton de la nekonato.

— Ĉu via frato estas plenaĝa?

— Oh ne, dek jarojn pli juna ol mi...

— Vi do estas la plej maljuna?

— Jes.

— Sed mi rimarkis en viaj respondoj mankon... Vi parolis pri via patro, pri viaj gefratoj... sed la panjo?

Ŝi silentis momenton kaj respondis mallaŭte:

— De kvar jaroj ni ne havas plu la patrinon...

게다가, 그녀는 젊은 여자가 생전에 낯선 남자와 오랫동안 이야기를 나누면 안 된다는 정도는 알고 있지만, 호기심으로 불타올랐다. 이 청년은 누구인가? 평소 사람이 잘 보이지 않던 이곳인데, 그는 어디서, 어떻게 나타난 걸까? 그녀는 어떻게 물어볼까 하며 생각해보았다. ― 하지만 적절한 표현을 찾지 못했다. 그래서 그녀는 바느질에 집중했지만, 수많은 생각이 그녀 머릿속을 잇달아 휩쓸었다. '이제 그가 떠나겠지? 내가 일어나, 자리를 피해야 하나? 아니, 그건 무례한 일이야. 왜 내가 도망쳐? 나는 정말로 우리 집 정자에 나와 있거든. 저 사람이 자신이 왔던 곳으로 돌아가게 해! 그런데 저이는 누구인가? 목소리 하나는 참 듣기 좋네...'

그는 몇 분 동안 침묵을 지킨 뒤, 벨벳처럼 부드럽고 아주 유쾌한 목소리로 다시 말을 꺼냈다.

"뭐 하세요?"

고개도 들지 않고 눈도 들지 않은 채 그녀는 이렇게 대답했다.

"남자 형제를 위한 셔츠요…."

그녀는 낯선 사람의 미소를 보지 못했다.

"그럼, 남형제는 성년이 되었나요?"

"아, 아뇨, 나보다 10살 어려요."

"그럼 오누이 중 당신이 가장 나이 많겠네요?"

"예."

"그런데 말을 들어보니, 말하지 않은 게 있네요…. 아버지, 오누이…. 그분들은 말하던데, 어머니에 대한 말은 없어서요?"

그녀는 잠시 침묵했다가 부드럽게 대답했다.

"어머니와는, 4년간 어머니 없이 살았네요….

ŝi mortis...

— Kaj vi anstataŭas ŝin...

Ne levante la kapon, ŝi respondis:

— Mi penas tion fari... mi tre deziras... laŭ eblo...

La ŝerca rideto malaperis de la buŝo kaj okuloj de la nekonato. Li apogis pli forte la brakon al la krado kaj diris post momento:

— Mi vidas libron en via korbo... ĉu vi amas la legadon?

— Jes, mi tre amas legi.

— Kion vi legas?

Li etendis la manon super la krado; post momenta ŝanceliĝo ŝi donis al li la libron.

— Vere, stranga homo! Li staras kaj tute ne intencas foriri!

Li parolas kun mi kaj... li ne prezentas sin! Tio ne estas konvena, kvankam aliflanke... li estas tre ĝentila!

La libro havis dikan, eluzitan bindaĵon; ĝi kredeble estis legata multfoje kaj de multaj personoj. La nekonato malfermis ĝin, trarigardis la paĝojn kaj haltis ĉe la versoj, apud kiuj li trovis krajonan signon.

— Ĉu vi faris la signon?

— Jes, — ŝi respondis tute mallaŭte.

— Ĉu ili tiel plaĉas al vi?...

Duonlaŭte li komencis legi la versojn:

어머니는… 별세하셨어요….”

“그럼, 아가씨가 어머니 역할을 대신하는 거네요….”

그녀는 고개를 들지 않고 이렇게 대답했다.

“그러려고 노력해요…. 꼭 그렇게 하고 싶은데… 최대한 요….”

그 낯선 청년의 입과 눈에서 농담조의 미소가 사라졌다. 그는 격자 울타리에 팔을 더욱 단단히 기대고, 잠시 후 이렇게 말했다.

“바구니에 책이 들어 있네요…. 독서 좋아하나 봐요?”

“네, 저는 엄청 좋아해요.”

“무슨 책인가?”

그는 격자 울타리 위로 손을 뻗었다. 그녀가, 잠시 망설이다가, 그에게 책을 전해주었다.

“참, 이상한 남자네! 갈 생각을 하지 않으니!”

‘저 사람이 나한테 말을 걸면서도… 자신을 소개도 않고서! 그것은 적절하지 않아. 하지만… 예의는 바르네!’

그 책은 두껍고 낡은 제본으로 되어있다. 아마도 여러 번, 여러 사람이 읽었나 보다. 그 낯선 남자는 그 책을 펴서 이 페이지 저 페이지를 훑어보다가 어느 문단 구절에서 멈추고, 그 옆에 남긴 연필 자국을 발견했다.

“이 연필 표시는 아가씨가 직접 했어요?”

“네,” 그녀는 낮은 목소리로 대답했다.

“이 부분이 그렇게 좋아요?”

그는 낮은 목소리로 그 대목을 읽기 시작했다.

Tiel vi nin mirakle portos hejman limon!
Dume transportu mian sopiran animon
Al la arbar' — montetoj, herbejoj verdantaj,
Larĝe apud lazura Njemen tiriĝantaj...
[El „Sinjoro Tadeuŝ" de Mickiewicz, traduko de A. Grabowski]

Kvankam nur duonlaŭte, li legis tre bone. La knabino estis strange impresita: ŝi neniam aŭdis versojn, legatajn voĉe, kaj nun ili estis legataj per voĉo velura, plena de karesoj kaj iom malĝoja.

Li interrompis la legadon kaj ekpensis: — Jen mi estas tre malproksime de Rochefoucauld... en tute alia regiono... — Kaj li daŭrigis:

Kiujn la neĝeblanka poligon' ornamas,
Kie per virga ruĝo timiano flamas,
Kaj ĉion zonas, kvazaŭ per verda rubando,
La kampa, kun maldensaj pirarboj, limrando.

La okuloj de Klaro, ŝi ne sciis kial, pleniĝis de larmoj. Tio okazis ĉiam, kiam ŝi aŭdis muzikon. Ŝi ekhontis kaj iom koleris: li ne nur parolas kun ŝi, sed eĉ legas ŝian libron, kvazaŭ ili jam de longe konus unu la alian! kaj li tute ne diris sian nomon.

Ŝi kuraĝiĝis kaj, metinte la laboraĵon sur la genuojn, demandis kun serioza, eĉ severa mieno:
— Ĉu vi loĝas malproksime de ĉi tie?

그렇게 당신이 우리를 기적같이 우리 국경에 데려다주겠지요!
그동안 이 갈망하는 영혼도
저 숲으로- 언덕과 네만Njemen 강가의
저 푸른 초원으로 - 데려가 주오 …4)

그는 작은 소리로 그 대목을 낭랑하게 아주 잘 읽었다. 아가씨는 이상하게도 그 낭독에 감명받았다. 그녀는 그 구절을 낭독하는 바를 한 번도 듣지 못했으니. 그리고 이제 그는 충분한 따뜻함과 약간의 슬픔이 담긴, 벨벳 같은 목소리로 한 대목을 더 읽는다.

그는 낭독을 중단하고 생각했다. '여기 나는 라로슈푸코와는 너무 멀리 떨어져 있네… 여긴 완전 다른 곳이네….' 그리고 그는 계속 읽어갔다.

눈처럼 하얀 마디풀로 장식되고,
백리향 분홍 꽃향기가 퍼져 있는 곳,
만물을 마치 녹색 리본처럼 둘러싼 곳,
배나무 듬성듬성 나 있는 들판 경계.

클라로는, 이유도 모른 채, 눈에 눈물이 가득하다. 이런 일은 음악을 들을 때 항상 일어난다. 그녀는 부끄러웠고 화도 조금 났다. 저 사람이 그녀와 이야기할 뿐만 아니라, 마치 오랫동안 서로를 알고 있었던 것처럼 그녀가 즐겨 읽는 책을 읽고 있다니! 그런데도 그는 자기 이름도 아직 전혀 말하지 않았다.

그녀는 짜던 의복을 잠시 무릎에 올려놓고 용기를 내어 진지하고 단호한 표정으로 물었다.

"그런데, 그쪽은 저 멀리 사세요?"

---

4) *주: [El „Sinjoro Tadeŭŝ" de Mickiewicz, traduko de A. Grabowski](A. 그라보브스키가 번역한 미키에비치 원작„ 타데우스 씨" 중에서)

Ŝi mem rimarkis, ke ŝi demandis pli laŭte, ol ŝi volis, kaj ke ŝi tro sulkigis la brovojn. Sed tio ĉiam okazas tiamaniere: kiam oni devas montri grandan kuraĝon, oni ĉiam troas!

Li levis la okulojn de la libro kaj respondis:

— Tre proksime...

Li legis ankoraŭ du versojn:

Inter tiaj kampoj, apud rivereto
En betula arbaro, sur eta monteto...

Kvazaŭ pripensinte dum la legado, li fermis la libron kaj diris kun saluto:

— Mi ankoraŭ ne prezentis min al vi. Mi ne supozis, ke nia interparolado daŭros tiel longe. Sed nun mi sentas, ke mi deziros ripeti ĝin...

Momenton li konsideris, mallevinte la okulojn, poste li diris:

— Mi estas Julio Przyjemski, mi loĝas en ĉi tiu granda domo.

Li montris la princan parkon. La knabino gajiĝis: la reguloj de la konveneco estis plenumitaj, sed la sciigo iom mirigis ŝin.

— Mi pensis, ke en la palaco neniu loĝas...

— Ĝis nun, ekster la servistoj, neniu loĝis en ĝi, sed hieraŭ venis ĝia posedanto por pasigi ĉi tie iom da tempo.

— La princo? ŝi ekkriis.

그녀는 자신의 바람보다 더 큰 소리로 물었는데, 너무 눈살을 찌푸렸다는 것을 깨달았다. 하지만 사람은 항상 이런 식이다. 대단한 용기를 보여야 할 때면 사람들은 항상 과장되게 행동한다!

그는 책에서 눈을 떼더니 이렇게 대답했다.

"아주 가까이 살아요…."

그는 또 다른 대목의 두 줄을 더 읽었다.

논밭 사이로 난 개울 옆
동산 위의 자작나무 숲에…

그는 책을 읽으면서 뭔가 생각나는 듯이, 그 책을 덮고 인사와 함께 이렇게 말했다.

"제 소개를 아직 못했네요. 우리 대화가 이렇게 오래 이어질 줄은 몰랐어요. 그런데 지금은 또 대화하고 싶다는 생각이 들어서요…."

그는 잠시 고민하다가 눈을 내리깔고 말했다.

"저는 율리오 프시엠스키 Julio Przyjemski 입니다. 저는 이 큰 집에 살고 있습니다."

그가 왕자공원을 가리켰다. 아가씨는 기뻤다. 예의에 맞게 들었으나, 그 말에 그녀는 짐짓 놀랐다.

"저 궁전에는 아무도 안 사는 줄 알았는데…."

"지금까지 하인 외에는 아무도 살지 않았지만, 어제 그 주인이 이곳에 한동안 머물러 왔어요."

"왕자님이요?" 그녀는 크게 말했다.

— Jes; la princo, kiu pro monaj aferoj restos ĉi tie

Ŝi meditis momenton kaj demandis:

— Kaj vi venis kun la princo?

— Jes, — li respondis — mi venis kun princo Oskaro.

— Vi gastas, verŝajne, ĉe la princo?

— Tute ne, fraŭlino. Mi loĝas ĉe la princo, mia akompanas lin ĉie kaj ĉiam...

Post momenta medito li aldonis:

— Mi estas kunulo kaj plej intima amiko de la princo.

Ŝi ekpensis: kredeble li estas sekretario aŭ rajtigito de la princo! Ŝi sciis, ke grandaj sinjoroj havas sekretariojn kaj rajtigitojn. Cetere, kion ŝi povis scii pri la oficistoj de la princaj kortegoj! Ili sendube estas multaj kaj diversaj. Sed ŝi estis kontenta, ke la juna homo, kun kiu ŝi ĵus koniĝis, ne estis gasto de la princo. Ŝi ne sciis kial, sed ŝi estis tre kontenta, eksciinte pri tio.

— Ĉu la princo estas juna? — ŝi demandis.

Przyjemski momenton ŝanceliĝis kaj poste respondis kun rideto, kiu ŝajnis stranga al ŝi:

— Jes kaj ne; li vivis ne longe, sed li travivis multon...

Ŝi jese balancis la kapon.

— Ho jes! Mi imagas, kiom da feliĉo kaj plezuro enhavis lia sorto!

— Ĉu vi tiel opinias?

"그래요! 금전적인 일로 몇 달 여기 머물 겁니다, 그 왕자님요."

그녀는 잠시 생각한 뒤 물었다.

"그럼, 댁은 왕자님과 같이 오셨어요?"

"네," 그는 답했다. "오스카로 왕자님을 모시고 왔어요."

"그럼, 댁은 왕자님의 손님으로 왔나요?"

"아니요, 아가씨. 난 왕자님과 함께 살아요. 여기저기 따라다녀요. 늘…."

잠시 생각한 뒤 그는 이렇게 덧붙였다.

"저는 왕자님의 동반자이자 가장 친밀한 친구이거든요."

그녀는 생각해보았다. '이 사람은 아마 왕자님 비서이거나 부관임이 분명하겠네!' 그녀는 왕자분들에겐 비서와 부관이 있다고 알고 있다. 게다가 그녀가 왕자궁전 근무자들에 대해 무엇을 알 수 있는가! 그들 수효는 당연히 많고 다양하다. 그러나 그녀는 방금 알게 된 이 청년이 왕자님의 손님은 아니라는 사실에 만족했다. 그녀는 이유를 몰랐지만, 그 점을 알고 나서는 매우 기뻤다.

"왕자님은 젊은 분인가요?" 그녀가 물었다.

프시엠스키는 순간 몸을 흠칫하더니, 미소지으며 대답했다. 그것은 그녀에게 이상하게 보였다.

"그렇기도 하고 아니기도 해요. 오래 살지 않았지만, 많은 것을 겪었어요…."

그녀는 지금 고개를 끄덕였다.

"그렇겠네요! 그분 운명이 얼마나 행복하고 즐거운지 상상이 가요."

"그렇게 생각해요?"

— Kompreneble. Mia Dio! Tiel riĉa, li povas ĉiam fari, kion li volas!

Li turnis distrite per siaj maldikaj fingroj la paĝojn de la libro kaj respondis:

— Sed malfeliĉe por li... multaj aferoj ĉesis al li plaĉi.

— Sendube, — ŝi respondis post momento... multaj aferoj, kiuj ŝajnis en la komenco aŭ de malproksime bonaj, estas efektive tute aliaj...

— Vi jam tion komprenas? — li demandis iom mire.

Ŝi respondis kun gaja rideto:

— Mi vivis ne longe, sed mi travivis multon...

— Ekzemple? — li demandis ŝerce.

— Pli ol unu fojon mi tre deziris ion, mi revis ĝin, kaj poste mi konvinkiĝis, ke ĝi ne indis revojn kaj dezirojn...

— Ekzemple? — li ripetis.

— Ekzemple, mi deziris havi amikinon, sed intiman, koran, kun kiu mi povus vivi komunan vivon.

— Kion signifas: vivi komunan vivon? —

— Tio signifas: havi ĉion komunan. Havi komunajn pensojn pri ĉio, helpi unu la alian, havi la samajn ĝojojn kaj ĉagrenojn...

— Bela programo! Ĉu vi efektivigis ĝin?

Ŝi mallevis la okulojn.

— Mi neniam sukcesis.

"물론이죠. 맙소사! 그분은 돈이 많아 언제나 하고 싶은 건 다 할 수 있으니까요."

그는 책의 몇 페이지를 넘기며 말했다.

"하지만 그분에게 불행하게도… 많은 일이 그분이 하고픈 일을 못 하게 했지요."

"물론이겠지요," 잠시 후 그녀가 대답했다. "…처음에는 또는 멀리서는 좋아 보이는 일도 실제로는 전혀 다르게 다가오니까요…."

"이미 알고 있네요?" 그가 이상한 질문을 했다.

그녀는 환하게 웃으며 대답했다.

"오래 살지 않았지만, 많은 것을 겪었어요…."

"예를 들면요?" 그는 장난으로 물었다.

"한두 번 이상으로 뭔가를 온전히 꿈꾸고 염원했지만, 나중에 그게 꿈꿀 일도, 염원해도 될 일이 못 되더군요…."

"예를 들면요?" 그는 반복해 물었다.

"예를 들면, 저는 여자친구를 사귀고 싶었어요, 공통의 생활을 살아가는, 그런 친근하고 마음을 나눌 수 있는 친구를요."

"공통의 생활이란 것이 무슨 말인가요?"

"그건요. 모든 것을 공통으로 갖는 거요. 모든 것에 공통의 생각을 가지는 거요, 서로 돕고, 기쁨도 슬픔도 같이 나누는 그런 거요…."

"아름다운 프로그램이네요! 그것을 이뤄냈어요?"

그녀는 두 눈을 아래로 내렸다.

"성공하지 못했어요.

Jam du fojojn mi estis certa, ke mi havas tian amikinon kaj mi estis ekstreme feliĉa, kaj poste...

— Ĉu vi permesas al mi fini anstataŭ vi?... Poste vi konvinkiĝis, ke unue: la amikinoj estis multe malpli saĝaj ol vi, oni do ne povis havi komunajn pensojn; due: ke ili ne amis vin sincere... Ĉu jes?

Ne ĉesante kudri, ŝi jese balancis la kapon.

— Mi ne scias, ĉu la amikinoj estis malpli saĝaj ol mi, sed mi estas certa, ke ili ne amis min sincere.

Li daŭrigis malrapide:

— Ili kalumniis vin, insidis kontraŭ vi... pro bagatelo sentis sin ofenditaj, kaj ili mem senĉese vin ofendis...

Ŝi ekstreme ekmiris kaj levis la kapon:

— De kie vi tion scias?

Li ekridis.

— La princo travivis la samon, sed laŭ pli vasta skalo. En la komenco li estis ekstreme sentema kaj naiva, li kredis la amikecon, amon, feliĉon... un tas des choses de tia speco; sed poste li rimarkis, ke unuj enuigas lin, ke li enuigas la aliajn; ke sur la fundo de ĉiu koro kuŝas egoismo, ke ĉiu amikeco kaŝas en si perfidon... Jen kial li estas samtempe juna kaj maljuna...

Ŝi aŭskultis lin atente kaj poste flustris kun kompato:

— Malfeliĉa! Tiel riĉa kaj tiel mizera!

Przyjemski ekmeditis.

이미 두 번 그런 친구가 있다고 확신해 매우 행복했는데, 나중에는…."

"내가 아가씨를 대신해 말을 마무리해도 될까요? 나중에 아가씨는 확신하게 되었네요. 일단, 사귀어 보니, 여자친구들이 아가씨보다 훨씬 덜 현명하니, 그들이 아가씨와 공통의 생각을 가질 수 없었다. 나중에는, 그네들이 아가씨를 진심으로 사랑하지 않았다는… 그런 말 맞지요?"

그녀는 바느질을 멈추지 않고 고개를 끄덕였다.

"여자친구들이 덜 현명했는지는 모르겠으나, 그들이 나를 진심으로 사랑하지 않았다는 것은 분명해요."

그가 천천히 말을 이어갔다.

"그들은 아가씨를 비방하고 속이기도 하고… 사소한 일로 자기들이 기분 상했다며, 그들은 끊임없이 아가씨를 모욕했지요…."

그녀는 매우 놀랐고 고개를 들었다. "어떻게 그걸 아세요?"

그가 웃음을 터뜨렸다.

"왕자도 똑같은 것을 겪었어요, 하지만 대규모로요. 처음에 그분은 매우 민감하고 천진했어요. 그분은 우정, 사랑, 행복을 믿었어요…. 그런 종류의 un tas des choses[5] 그러나 나중에 그분은 이것을 알게 되었어요. 즉, 사람들이 그분을 지루하게 하고, 때로는 그분이 또 다른 사람들을 지루하게 한다는 것을요. 각자의 마음 저 아래에는 이기심이 숨어 있다는 것을요, 모든 우정에는 배신이 숨어 있음을요. …그러니 그분은 젊지만 늙어버렸어요…."

그녀는 그의 말을 자세히 듣고 동정심으로 조용히 말했다.

"불행이네요! 그렇게 부유한데도 그렇게 불쌍하니!"

프시엠스키는 생각에 잠겼다.

---

5) *역주: 불어로 '많은 것들이'라는 뜻.

Apogante sin al la krado, li mallevis la rigardon; la sulko inter liaj brovoj profundiĝis, la vizaĝo ŝajnis laca kaj dolora. Ŝi momenton rigardis lin, kaj poste kun viva ekbrilo en la okuloj ekkriis:

— Tamen ekzistas aferoj ĉiam bonaj, belaj kaj agrablaj, kaj la princo, kvankam li tiom travivis, devas esti tre feliĉa...

Levante la palpebrojn, li demandis.

— Kiuj aferoj?

Per rapida gesto ŝi montris la ĝardenon malantaŭ la krado.

— Ekzemple, tia ĝardeno! Ho Dio, kiom da fojoj sidante ĉi tie mi pensis pri la feliĉo povi ĉiam, kiam oni tion deziras, promeni kaj sidi sub tiaj arboj, rigardi la belajn florojn, loĝi en domo de tiel bela arĥitekturo... Mi estas jam feliĉa, kiam mi sidas ĉi tie kaj nur rigardas la silueton de ĉi tiu palaco kun linioj tiel harmoniaj kaj elegantaj, la arbojn, la herbaron... En aprilo tiom da violoj ornamas la herbaron, ke la verdaĵo malaperas sub ili, ĉio estas violkolora, kaj la bonodoro atingas eĉ nian dometon...

— Vi estas tre sentema al beleco...

Kun vivaj gestoj ŝi komencis gaje rakonti:

— Kiel mi laboris kaj penis antaŭ ol ni povis ekloĝi en ĉi tiu dometo!... Mi ekvidis ĝin okaze. Mi iris sur la strato, la pordego de la ĉirkaŭbaro estis malfermita kaj apud ĝi oni vendis fruktojn.

그는 격자 울타리에 자신을 기대고는, 눈길을 아래로 향했다. 그의 두 눈썹 사이 주름은 깊어졌고, 표정은 피곤하고 고통스러워 보였다. 그녀는 그런 그를 잠시 바라보고는, 나중에, 두 눈을 생기 있게 반짝이며 외쳤다.

"하지만 늘 좋은 일도 있고, 아름답고 즐거운 일도 있지요, 또 왕자님도 그 많은 일을 겪었으니, 이제 행복을 누려야 해요…"

그는 눈꺼풀을 들어 올리며 물었다.

"어떤 일을 말하는 것인가요?"

그녀는 재빠른 몸짓으로 격자 울타리 너머 정원을 가리켰다.

"예를 들어, 저런 정원 말이에요! 오, 하나님, 여기에 앉아서 얼마나 많은 생각을 했다고요. 항상 사람이 염원하면 언제나 가능한 행복을요. 저런 나무들 아래 산책도 하고 앉아서 쉴 수 있는 행복을요. 아름다운 꽃을 볼 수 있는 행복을요. 또 저렇게 아름다운 건축물인 저택에 살 수 있는 행복을요… 여기 앉아 저 궁전의 조화롭고 아름다운 선을 가진 실루엣을요. 또, 저 나무들과 저 초원을 보기만 해도 이미 행복해져요… 4월에는 저 초원 풀밭은 제비꽃으로 엄청 아름답게 장식하거든요. 온 사방이 보라색이거든요, 그 향기가 집까지 도달하거든요…."

"아가씨는 아름다움에 굉장히 민감한 편이네요…"

그녀는 활기찬 몸짓으로 유쾌하게 말하기 시작했다.

"저희가 이 작은 집에 정착하기까지 얼마나 힘들여 일하고 노력했는지! 저는 우연히 이 집을 발견했어요. 어느 날 길에 나섰다가, 성벽 대문이 열려 있었거든요. 여기 격자 울타리 옆에 과일 파는 사람이 있었어요.

Mi eliris por aĉeti kelke da ili por mia patro kaj mi ekvidis la ĉarman dometon en la ĝardeneto, tuj apud alia, pli vasta kaj pli bela ĝardeno. Mi varmege ekdeziris posedi la dometon, por ke la patro kun la infanoj loĝu en la verdaĵo, en tiel agrabla kvieto... kaj mi kun ili... Malfacila estis la afero. Mi devis trovi la posedanton; persone paroli kun li; li estas riĉa homo, loĝas en la centro de la urbo, en grandega domo. Mi estis tie kelke da fojoj, antaŭ ol li konsentis trakti kun mi la aferon. La prezo estis tro alta por ni, ni devis prokrasti la aĉeton, la transloĝiĝo kostis multe... unuvorte, mil da malfacilaĵoj kaj malhelpoj. Mi venkis ĉion, kaj dank' al Dio ni loĝas ĉi tie... Jam de tri jaroj...

— Vi do estis deksesjara, kiam vi plenumis ĉi tiujn heroaĵojn?

Ŝi ekridis.

— Heroaĵo certe ĝi ne estas, sed forta decidemo estis necesa. Mi estas certa, ke la sanon de mia patro subtenos nur la ĉi tiea pura aero kaj kvieto. Se ni restus en nia antaŭa loĝejo, en malpura kaj brua kvartalo, kiu povas scii, kio okazus! Kaj ĉi tie la stato de mia patro almenaŭ ne plimalboniĝas kaj ni ĉiuj fartas bone.

— Bone! — ripetis Przyjemski, — vi do estas tute feliĉa, de kiam vi loĝas ĉi tie?

Daŭrigante la kudradon, ŝi malĝoje ekskuis la kapon.

아버지가 드실 과일을 사러 나왔다가, 작은 정원 안에 있는 이 매력적인 집을 발견하였어요. 바로 이 정원 옆에 더 넓고 아름다운 정원이 있는 거예요. 나는 아버지와 저희 오누이가 그렇게 상큼하고 고요한 초원에 거주할 수 있기를, 이 집을 소유하기를 열망했었지요…. 제 가족 모두가 거주할 수 있는 집을요…. 한데, 그 일은 쉽지 않았지요. 먼저 저는 집주인이 누구인지 알아내야 했어요. 개인적으로 그분과 이야기를 나눠 보려고 했답니다. 나중에 알아보니, 그 집주인은 부유한 사람이고, 도심지에 저택을 갖고 있었어요. 저는 그분 댁으로 이 집 매입 문제를 의논하러 몇 번이나 찾아갔었어요. 가옥 가격이 우리에겐 너무 높아, 이 집 매입을 서두르기가 어려웠어요. 이렇게 이사하는 데는 큰돈이 들었어요…. 한 마디로 보면, 수천 가지 어려움과 장애물이 있었지요. 저는 이 모든 것을 이겨내고, 하나님 덕분에, 여기에 살게 되었어요…. 이미 3년 전 일이네요….”

“아가씨, 그쪽이 그 영웅적인 일을 해냈을 때, 그때 열여섯 살이었겠네요.”

그녀가 살짝 웃었다.

“물론 영웅적인 성과는 필시 아니어도 강한 결심이 필요했지요. 오로지 이곳의 깨끗한 공기와 조용함이 아버지 건강을 뒷받침해 줄 것이라고 확신했거든요. 우리가 더럽고 시끄러운 동네의, 이전 주거지에 머물렀다면 무슨 일이 일어났을지 누가 알겠어요! 그런데 여기서는 적어도 아버지 건강은 더는 나빠지지 않아 우리 모두 잘 지내고 있어요.”

“잘했네요!” 프시옘스키가 반복해 말했다. “그렇다면 아가씨는 여기 산 이후로는 완전 행복하겠네요?”

바느질을 계속하면서 그녀는 슬프게 고개를 저었다.

— Tute? Ne, ĉar la farto de la patro kaj la estonteco de la infanoj maltrankviligas min...

— Kaj la via?

Ŝi levis al li siajn okulojn, plenajn de mirego:

— Mia estonteco? Kio povas okazi? Mi jam estas plenaĝa kaj sendependa...

— Vi estas pli feliĉa ol la princo...

— Kial?

— Ĉar seniluzia, multfoje vundita estas lia koro, sencelaj la horoj kaj tagoj...

— Kompatinda! — ŝi flustris kaj post momento ekparolis vive:

— Tamen ŝajnas al mi, ke la princo povus esti feliĉa, se li nur volus, aŭ scius kion fari. Eble mi estas tro memfida, sed se mi estus li, mi scius direkti mian koron kaj vivon.

— Kion vi farus?

— Mi suprenirus en ĉi tiun turon... Kaj mi rigardus atente la tutan urbon. Mi vidus ĉiujn, kiuj suferas aŭ bezonas ion kaj...

Ŝi haltis kaj neatendate demandis:

— Ĉu vi iam vidis medaleton de Pariza Dipatrino?

— Ŝajnas al mi... eble... mi ne memoras bone...

— Sankta Virgulino staras, kaj el ambaŭ ŝiaj manoj fluas amase radioj, kiuj konsolas, lumigas kaj defendas kontraŭ la malbono... se mi estus princo, mi surirus la turon kaj etendinte la brakojn mi verŝus riverojn da radioj...

"완전이라고 말했나요? 아니요, 아버지 건강문제와 오누이 미래가 걱정되어요….”

"그럼 아가씨 미래는 누가?"

그녀는 놀라움으로 가득 찬 눈을 들어 그를 바라보았다.

"나의 미래요? 무슨 일이 일어날까요? 나는 이미 성인이고요, 독립적인데요….”

"왕자님보다 당신이 더 행복하네요….”

"왜요?"

"그분 마음은 환멸을 느끼고, 상처도 여러 번 받아, 시간과 나날 속에서 목표도 잃었어요….”

"불쌍한 분이네요!" 그녀는 속삭이더니 잠시 후 생기있게 말하기 시작했다.

"하지만 왕자님은 자신이 뭘 원하고, 무엇을 해야 할지 알면 행복할 수 있을 것 같아요. 내가 너무 자신감이 넘치는 건지도 모르지만, 만약 내가 그분이라면, 내 마음과 삶을 어떻게 이끌어야 할지 알 거예요."

"어떻게요?"

"저 탑에 올라가서요…. 도시 전체를 유심히 살펴보겠어요. 고통받고 있거나 뭔가 필요한 것이 있는 사람들을 모두 살펴보겠어요….”

그녀는 그렇게 말하고는, 말을 멈추고 예기치 않게 물었다.

"파리 성모님의 메달 본 적이 있나요?"

"본 것 같기도 해요…. 아마도… 하지만 기억은 안 나네요….”

"성모님이 서 계시고, 성모님의 두 손에서 위안과 빛을 비추고, 악을 물리치는 광선 덩어리가 흘러나옵니다. 제가 왕자라면 저 탑에 올라가 팔을 뻗고, 강물을 쏟을 거예요. 광선 같은 강물을요….

Ho Dio, kiel feliĉa mi estus!...

La vortojn ŝi akompanis per gestoj: ŝi montris la pinton de la turo, poste ŝi mallevis la brakojn kaj skuis ilin, kvazaŭ ŝutante ion teren.

Przyjemski aŭskultis. liaj okuloj sub la profunda sulko fariĝis dolĉaj kaj brilaj.

— Bele, tre bele! — li flustris al si mem.

Sed tuj, kun ironia nuanco li ekparolis:

— Sankta kredo al la savanta efiko de la filantropio! Mi ĝin ne deprenos. Oni devas nenion aldoni al vi... nenion depreni... Mi ne scias... pri la princo, sed mi mem...

Iom levante la ĉapelon, kiun li ĵus remetis sur la kapon, li aldonis:

— Mi estas feliĉa, ke la sorto permesis al mi koniĝi kun vi...

Karmina ruĝo kovris la vizaĝon de Klaro. Ŝi komencis rapide, rapide meti la laboraĵon en la korbon.

— Jam estas tempo reveni hejmen...

— Jam? — li demandis bedaŭre.

Li ekrigardis ŝian libron:

— Ĉu vi afable konsentos prunti al mi ĉi tiun libron ĝis morgaŭ!

— Tre volonte, kun plezuro, — ŝi respondis ĝentile.

— Mi redonos ĝin al vi morgaŭ... Kiam vi en la sama horo venos en la laŭbon. Ĉu vi konsentas?

그럼, 얼마나 저는 행복할까요!"

그녀는 그 말을 하며 몸짓도 동반했다. 그녀는 왕자궁전의 탑 꼭대기를 가리킨 다음, 마치 땅에 무언가를 뿌리는 듯이 팔을 내리고는 그 팔을 흔들었다.

프시엠스키는 귀를 기울였다. 깊은 주름 아래 그의 두 눈은 달콤하고 밝아졌다.

"아름다워요, 정말 아름다워요!" 그는 속으로 속삭였다.

그러나 그는 즉시 아이러니한 어조로 말하기 시작했다.

"자선 활동의 구원 효과에 대한 거룩한 믿음이네요! 나는 그걸 뺏지 않을 거요. 아가씨에게 더할 것은 아무것도 없어야 하고요…. 아무것도 뺄 것도 없어요…. 왕자님에 대해서는 잘 모르겠지만요…. 나 자신은…."

그는 방금 머리에 씌웠던 모자를 조금 들어 올리며 이렇게 덧붙였다.

"운명적으로 내가 아가씨를 만나게 되어 기쁘네요…."

진홍색 홍조가 클라로 얼굴을 덮었다. 그녀는 서둘러, 서둘러 바느질거리들을 바구니에 넣기 시작했다.

"집에 들어갈 시간이 되었네요…."

"벌써요?" 그는 안타깝게 물었다.

그는 그녀 책을 살펴보았다.

"내일까지 이 책 빌려도 되나요?"

"아주 흔쾌히, 기쁜 마음으로." 그녀는 정중하게 대답했다.

"돌려드릴게요…. 내일 이 시각에 여기 올 때. 동의하나요?"

— Jes, sinjoro — ŝi respondis senŝanceliĝe, — mi venas ĉi tien ĉiutage, se la vetero estas bela...

— Ĝi estu bela morgaŭ!...

Infana voĉo eksonis de la domo:

— Klaro, Klaro!

Sur la balkono aperis knabeto dekjara en gimnazia vesto kaj svingante la manojn al la laŭbo, vokis kaj kriis:

— Klaro, Klaro! Jen mi revenis! La patro ankaŭ venas, Franjo tuj alkuros el la kudrejo. Venu rapide kaj donu la tagmanĝon! Mi mortas de malsato!...

— Mi venas, mi venas! — ekkriis Klaro kaj salutinte la novan konaton estis forkuronta, kiam li haltigis ŝin per la vortoj:

— Vian manon, mi petas, por adiaŭo...

Ne ŝanceliĝante, kun ĝentila saluto ŝi etendis la manon. nur kiam ĉi tiu mano gracia, sed iom malglata, troviĝis en la blanka mola mano, kiu delikate sed longe premis ĝin, karmina ruĝo kovris ŝian tutan vizaĝon, de la nigraj bukloj sur la frunto, ĝis la kolumo de la korsaĵo.

"네, 신사님." 그녀는 꼼짝도 하지 않고 대답했다. "날씨가 좋으면 매일처럼 여기로 오지요…"

"내일 날씨가 아름답길 기대할게요!"

집 안에서 아이 목소리가 울렸다.

"클라로 누나, 클라로 누나!"

열 살짜리 소년이 김나지움 교복을 입고 발코니에 나타나, 이쪽 정자를 향해 손을 흔들며 외쳤다.

"클라로, 클라로 누나! 나 이제 왔어요! 아버지도 왔어요. 프라뇨 누나는 재봉실에서 곧 올 거고요. 빨리 와서, 점심 챙겨 주오! 배고파 죽겠다!"

"간다, 간다!" 클라로가 소리쳤고, 새로 알게 된 사람에게 인사를 한 후, 그 사람에게서 달아나려 할 때, 그 사람이 다음의 말로 그녀를 불러 세웠다.

"작별 인사하러 손을 내밀어 줘요…."

그녀는 단정하고 정중하게 인사하러 자신의 한 손을 내밀었다. 우아하지만 약간 거친 손이 부드럽고 하얀 손에 들어갔을 때, 그 하얀 손은 섬세하면서도 한동안 그 거친 손을 꼭 눌렀다. 그때 진홍빛 붉은색이 그녀 얼굴 전체를, 그녀 이마의 검정 곱슬머리부터 웃옷의 깃까지 덮었다.

Ĉapitro II

Longe antaŭ la tagmezo, Julio Przyjemski, sidante sur benko en la parko kun la libro en la mano, rigardis ofte la dometon, staranta en la fazeola verdaĵo meze de la najbara ĝardeno. La malalta krado kaj la disiĝo de la arbaj branĉoj permesis vidi klare ĉion, kio okazas ĉirkaŭ la dometo.

Unue li ekvidis viron altan, maldikan, kun griziĝantaj haroj, kiu iris sur la balkonon, en eluzita palto, en ĉapo kun steleto, kun malgranda paperujo sub la brako. Post li kuris Klaro kaj, metinte ambaŭ manojn sur liajn ŝultrojn, parolis kun li, proksimigis sian frunton por kiso kaj revenis internen. La maldika, griza viro ekiris malrapide al la pordeto de la ĉirkaŭbaro. Li ankoraŭ ne trairis la duonon de la vojo, kiam haltigis lin laŭta vokado el la domo:

— Paĉjo, paĉjo!

Knabineto en mallonga vesto, en blua tuko sur la kapo, alkroĉiĝis al lia brako kaj kune ili eliris el la ĝardeno. Przyjemski ridetis.

— La paĉjo iras en la oficejon, la fratineto en la kudrejon... Benedikto estas lertulo!... Hieraŭ mi diris al li: „Eksciu!"

제2장

　정오가 되기 훨씬 전부터 율리오 프시엠스키는 자신의 손에 그 책을 들고 공원 벤치에 앉아, 이웃집 정원 한가운데의 녹색 콩이 무성하게 자란 그 작은 집을 자주 바라보았다. 낮은 격자 울타리와 뻗어 있는 나뭇가지들 사이로 그 집 주변에서 일어나는 모든 일을 명확하게 볼 수 있다.

　처음에 그는 키가 크고 마른, 희끗희끗한 머리카락의 남자를 보았다. 그는 낡은 코트에, 별이 달린 모자를 쓰고, 팔 아래에 작은 종이 상자를 들고 발코니로 가고 있었다. 그 남자를 뒤따라 클라로가 달려와, 그 남자 어깨에 두 손을 얹어 말을 걸고 이마를 가까이 대어 키스하고는 안으로 돌아갔다. 그 희끗희끗한 남자는 격자 울타리 문을 향해 천천히 걸어가기 시작했다. 그가 집 안에서 큰 소리로 부르는 소리를 들었을 때, 그 절반도 채 가지 못했다.

　"아빠, 아빠!"

　짧은 드레스를 입고 머리에 파란색 천을 둘러쓴 어린 소녀가 그의 팔을 붙잡고 함께 정원 밖으로 나갔다. 프시엠스키는 미소 지었다.

　'아빠는 사무실로 가는군. 작은 누이는 재봉소로... 베네딕토 Benedikto가 제대로 알아냈어! 어제 내가 베네딕토에게 그걸 "알아내 줘요!" 라고 말했지.

— kaj hodiaŭ matene li jam sciis ĉion. Tridek rubloj monate... ĝi estas mizero. Kompreneble. La idilioj ja ekzistas por malsataj poemamantoj. Ŝi manĝas nigran panon kaj... portas poemojn en la korbo.

Li rigardis la libron, kiun li havis en la mano. Ĝi ne estis La Rochefoucauld, sed la malnova libro en cluzita bindaĵo, kiun li pruntis hieraŭ de Klaro. Jen ree kelkaj versoj signitaj per krajono. Ni legu:

Malmultaj nubetoj sur ĉielo grandioza,
Blua supre alte, okcidente roza...

Li medite levis la okulojn.

— Antaŭ multaj, multaj jaroj mi legis ĉi tion, mi estis tiam ankoraŭ infano. Bela poemo! Precipe ĉi tie, sub ĉi tiuj arboj ĝi estas tre konforma legaĵo... Mi ne redonos al ŝi la libron hodiaŭ kaj mi tralegos ĝin de la komenco ĝis la fino... Mi tre volus scii, kion ŝi faras en ĉi tiu momento, malantaŭ la fazeola verdaĵo?

Li tuj tion eksciis. Klaro aperis sur la balkoneto, portante ion pezan en la disetenditaj manoj. Przyjemski kliniĝis antaŭen por pli bone vidi kaj konstatis, ke la juna knabino, kun la manikoj falditaj ĝis la kubutoj, portis kuveton plenan de malpura akvo, kiun ŝi elverŝis malproksime de la domo, malantaŭ la branĉoriĉa pomarbo kaj ribaj arbetoj.

그러니 오늘 아침 그가 이미 모든 것을 알아냈어. 한 달에 30루블[6]… 아주 적은 돈이군. 물론. 순진한 사랑은 시를 사랑하는 배곯는 사람들에게만 존재하지. 그 클라로라는 아가씨는 검정 빵을 먹고… 바구니엔 시집을 담았으니.'

그러고 그는 자신이 손에 들고 있는 책을 내려다보았다. 그것은 라로슈푸코가 아니라, 어제 클라로에게 빌린 낡은 제본의 책이다. 여기 다시 연필로 표시한 구절이 있다. 읽어보자.

멋진 하늘에 작은 구름 여럿,
높은 저 위로는 파란색, 서쪽엔 분홍색 구름아…

그는 생각에 잠긴 채 위를 올려다보았다.

'아주 오래전에 읽은 글을 여기서 다시 보네. 그때 나는 아직 아이였어. 좋은 시였어! 특히 여기, 이 나무 아래서 읽기에 꼭 맞네… 오늘 그녀에게 이 책을 돌려주지 말고, 처음부터 끝까지 읽을 거야… 그녀가 지금 이 순간 콩 덩굴 뒤에서 뭘 하는지 정말 궁금하구나.'

그는 즉시 알게 되었다. 클라로가 자신의 뻗은 두 손에 무거운 것을 들고 작은 발코니에 나타났다. 프시엠스키는 더 자세히 보려고 앞으로 몸을 기울였다. 그 젊은 아가씨가 자신의 팔꿈치까지 소매를 걷어 올린 채, 더러운 물이 가득 담긴 대야를 들고, 집에서 멀찌감치 가지가 많이 달린 사과나무와 까치 밤나무 관목 뒤에 그 오물을 버리려고 가고 있었다.

---

6) *역주: 폴란드 제국 및 제정 러시아 화폐.

Kiam ŝi reiris kun malplena kuveto, li rimarkis, ke ŝia vesto estis kovrita per tola antaŭtuko.

— Nedubeble ŝi lavas la tolaĵon, ŝi ja portas la kuveton. Ŝi, tiel delikata kaj inteligenta... Kiel ŝi parolis hieraŭ pri Sankta Virgulino... tre bele... tre bele!

Li legis, meditis, foriris, revenis, foriris por kelkaj horoj kaj post tagmezo li ree estis en la parko preskaŭ en la sama horo, en kiu li hieraŭ renkontis Klaron.

Li sidiĝis sur la benko kun la sama libro en la malnova bindaĵo kaj ĉiumomente levis la okulojn, rigardante la najbaran ĝardenon. Fine li kliniĝis rapide antaŭen por pli bone vidi tra la branĉoj.

Du personoj venis sur la balkonon. Unu estis maljunulino en nigra vesto, kun nigra tuko sur la tute grizaj haroj. la alia, Klaro, en vesto kiel por iri en la urbon, en malhela manteleto kaj pajla ĉapelo, ornamita per rubando. Ili malsupreniris de la balkono, rapide trairis la ĝardenon kaj malaperis malantaŭ la ĉirkaŭbaro.

— Basta! — diris Przyjemski kun rideto, — ŝi foriris kaj ne venos plu ĉi tien. Mi fortimigis la birdeton. Domaĝe estas, ĉar ŝi estas ĉarma!...

Li fermis nerve la libron kaj iris al la palaco. la sulko pliprofundiĝis sur lia frunto.

Klaro de la frua mateno meditis: ĉu iri, aŭ ne iri?

그녀가 빈 대야를 가지고 돌아갈 때, 그녀 옷이 아마포 앞치마로 덮여 있었다.

'필시 지금은 빨래한 물을 담은 대야를 들고나온 건 당연하지. 그녀가 어제 성모님 설명할 때처럼 정말 섬세하고 지성적이야…. 아주 아름다웠어…. 아주 아름다웠어!'

그는 몇 시간 동안 읽고 생각에 잠겼다가, 그 자리를 떠났다가 돌아왔고, 또 몇 시간 동안 자리를 비웠다. 정오 이후에는 어제 클라로와 만난, 거의 같은 시각에 다시 그 공원에 나와 있었다.

그는 낡은 책표지의 그 책을 들고 벤치에 앉아 이따금 눈을 들어 이웃 정원을 바라보았다. 마침내 그는 나뭇가지 사이로 더 잘 보려고 황급히 앞으로 몸을 기울였다.

두 사람이 발코니에 보였다. 한 사람은 검정 드레스를 입고, 완전히 회색 머리에 검정 천을 덮은 노부인이다. 다른 한 사람인 클라로는 마을에 일 보러 갈 듯이 옷을 차려입었다. 검정 외투를 입었고 리본으로 장식한 밀짚모자를 쓰고 있다. 그 둘은 발코니에서 내려와 정원을 빠르게 지나, 격자 울타리 뒤로 사라졌다.

"충분해!" 프시엠스키가 미소를 지으며 말했다. "그녀는 떠났고 다시는 여기에 오지 않을걸. 내가 그 작은 새를 겁주어 쫓아냈구나. 그녀가 매력 만점인 게 안타까울 뿐!"

그는 황급히 책을 덮고 궁전으로 돌아갔다. 그의 이마에 고랑이 더 깊어졌다. 클라로는 이른 아침부터 고민했다. 갈까 말까?

Preparante la matenmanĝon por la patro kaj infanoj, reordigante la loĝejon, kuirante la tagmanĝon, lavante sian antaŭtukon, ĉiumomente ŝi demandis sin: ĉu iri, aŭ ne iri en la siringan laŭbon, kie sinjoro Przyjemski tuj aperos trans la krado. Ŝi ne povis labori kiel ordinare, ĉar ĉiumomente ŝi pensis pri la hieraŭa renkonto.

Stranga okazo! Renkonti homon fremdan, tiel longe paroli kun li, eĉ prunti al li libron! Mi neniam aŭdis iun tiel belege legantan. Kiel ĉarma li estas! Stranga estas la sulko sur lia frunto, tiel profunda, kaj sub ĝi la okuloj tiel bluaj, tiel bluaj, jen maltimaj kaj ridantaj, jen malĝojaj! Kiel ĉarma li estas! Unufoje li tiamaniere ekrigardis min, ke mi estis forkuronta... Mi sentis min kvazaŭ ofendita de li, sed poste li komencis rakonti pri la princo tiel interesajn aferojn... Kiel ĉarma li estas. Kiel li diris: „Oni devas nenion aldoni al vi, nenion depreni!" Kiel ĉarma li estas!

La flamo de la fajrujo kovris ŝian vizaĝon per varmega purpuro. ŝi ofte stariĝis antaŭ la malfermita fenestro, tra kiu la vento karesis ŝiajn vangojn. Ju pli proksima estis la tempo, kiam ŝi ordinare iris en la laŭbon, des pli granda iĝis ŝia maltrankvileco. Fininte ĉion, ŝi demetis la antaŭtukon, prenis el la ŝranko la korbon kun la laboraĵo kaj demandis sin lastfoje: ĉu iri, aŭ ne iri?

아버지와 동생들의 아침 식사를 준비하고 집안 정리하고 점심 요리하고 앞치마를 빨래하면서 그녀는 매 순간 스스로 물었다. 라일락 정자로 가면 프시엠스키 씨가 격자 울타리 건너편에 보일 것이기에, 그곳에 갈지 말지. 어제 만남이 매 순간 생각나 오늘은 평소처럼 일할 수 없다.

묘한 인연이네! 낯선 사람을 만나, 그 낯선 이와 오랜 시간 이야기 나누고 책을 빌려주기까지 하다니! 그렇게 아름답게 낭독하는 것을 내가 들어본 적이 없다. 그이는 얼마나 매력적인가! 참 이상하지! 그이 이마의 고랑은 너무 깊고, 그 아래 두 눈은 너무 파랗고, 파랗고, 용감하게 웃음 짓기도 하지만, 슬픔도 느껴지거든! 그이는 얼마나 매력적인가! 그이가 나를 그렇게 유심히 보니, 내가 그 눈길에서 달아나고 싶었을 정도였어…. 그때 난 기분이 좀 상했어. 나중엔 왕자님 이야기를 재미있게 해 주었어…. 참 매력적인 사람이네. 그이의 말도 – "아무것도 더할 것도 없고 뺄 것도 없어!" 그이는 얼마나 매력적인가!

벽난로 불꽃이 그녀 얼굴을 뜨거운 진홍색으로 덮었다. 바람이 그녀 뺨을 어루만지는 열린 창문 앞에 그녀는 자주 가서 서성거렸다. 평소 정자에 가는 시간에 더 가까워질수록 그녀 불안은 더 커졌다. 모든 일을 마친 후, 그녀는 앞치마를 벗고, 옷장에서 오늘 일감이 담긴 바구니를 꺼내고는, 마지막으로 스스로 물었다. 갈까, 말까?

Rigardinte la korbon, ŝi rememoris la pruntedonitan libron.

Ĉu ŝi ne devas iri por repreni la libron? Kompreneble. kion alie farus la nova najbaro? Li devus resendi ĝin, tio estus embarasa por li.

Ŝi do iros.

La laŭbo apartenas al ŝi, ŝi havas la rajton sidadi tie, kaj la sinjoro povas veni, aŭ ne veni, — tio estas por ŝi indiferenta!

Kiel ĉarma li estas! Se ŝi ree parolus iom kun li, kial tio estus ne konvena?

La decido tiel ĝojigis ŝin. ke kurante al la pordo, ŝi kantis:

— La, la, la! la, la, la!

Sed antaŭ ol ŝi venis al la pordo, en ĝi aperis maljunulino, dikkorpa kaj peza, en nigra vesto. Ŝia vizaĝo estis rondforma kaj ankoraŭ freŝa, ŝiaj arĝentaj haroj estis kovritaj per nigra lana tuko.

Klaro ĝoje kisis ŝian manon en lana duonganto.

— Sidiĝu, kara sinjorino... — ŝi invitis.

— Mi ne havas tempon — respondis la maljunulino malfacile spiregante, dum ŝi pene tiris ion el sia poŝo. Fine aperis el ĝi du ruĝaj pomoj kaj manpleno da bombonoj.

— La pomoj por la paĉjo, la bombonoj por la infanoj, — ŝi diris, metante sur la tablon la alportitajn donacojn.

그 바구니를 보다가 클라로는 빌려준 책이 생각났다.

책을 다시 받으러 가야 하지 않나? 물론이다. 그 새로운 이웃 사람은, 달리, 무엇을 하겠는가? 그이는 그 책을 다시 돌려줘야 한다. 그게 그이에게 당황스러울 것이다.

그래서 그녀는 가기로 마음먹었다.

그 정자는 그녀 집의 것이고, 거기 앉을 권리가 그녀에게 있고, 그 신사가 올지 말지는 그녀에게 무관심하다!

그이는 얼마나 매력적인가! 그녀가 그이와 다시 조금 이야기를 나눈다고 그게 뭐 어땠어?

그렇게 결정하자, 그녀는 너무나 행복한 기분이다. 출입문으로 달려가면서 그녀는 이렇게 노래했다.

"라, 라, 라! 라, 라, 라!"

그러나 그녀가 출입문에 가기도 전에 검은 드레스를 입은 뚱뚱한 노부인이 나타났다. 그녀 얼굴은 둥글고 여전히 신선했다. 은빛 머리카락이 검정 모직 천으로 덮여 있다.

클라로는 그 노부인의 모직 벙어리장갑을 낀 손에 행복하게 키스했다.

"이리로 앉으세요, 할머니…." 그녀가 초대했다.

"시간 없네." 노부인은 숨을 거칠게 몰아쉬며 답하고는, 호주머니에서 무언가를 어렵사리 꺼냈다. 마침내 붉은 사과 2개와 한 움큼의 사탕이 보였다.

"이 사과들은 아버지께. 또 이 사탕들은 아이들 먹으라고." 노부인은 자신이 가져온 선물을 테이블에 놓으며 말했다.

Ŝiaj grandaj bluaj okuloj ridis sub la grizaj brovoj kaj bonkora rideto ornamis ŝiajn dikajn lipojn. Klaro ree kisis ŝian manon.

— Kial vi ne volas sidiĝi?

— Mi rapidas, mi venis peti, ke vi iru kun mi. Vi estas nun libera kaj povas akompani min en la butikojn. Mi devas aĉeti novajn ŝuojn. rigardu la miajn...

Ŝi iom levis la nigran jupon kaj montris al Klaro grandan, platan piedon, en blanka ŝtrumpo kaj eluzita ŝuo.

— Sen vi mi ne aĉetos. Oni trompos min, vendos Dio scias kian sentaŭgaĵon, mi vane elspezos mian monon. Mi bezonas ankaŭ garnaĵon por miaj kufoj, ili jam estas tute ĉifitaj. Sen vi mi nenion aĉetos. Vian mantelon, rapide, kaj ni iru!

Klaro aŭskultis ŝin, mallevinte la kapon. Ŝi tre malĝojiĝis, sed tuj ŝi levis la okulojn kaj diris:

— Bone, mi iras, mi prenos nur mian mantelon kaj ĉapelon.

Post momento ili forlasis la loĝejon. Klaro ŝlosis la pordon kaj metis la ŝlosilon en la poŝon de sia vesto. La patro havis ankaŭ ŝlosilon. Kiam ili iris tra la ĝardeno, la maljunulino diris:

— Ni ŝanĝos la monon en la magazenoj kaj mi donos al vi por la lernejpago de Staĉjo. Oni jam devas pagi?

— Mi dankas vin, sinjorino — flustris Klaro.

노부인의 커다란 파란 눈은 회색 눈썹 아래서 웃음 짓고, 다정한 미소는 노부인의 두꺼운 입술을 장식했다. 클라로는 다시 그녀 손에 키스했다.

"앉고 싶지 않다니, 혹시 다른 이유가 있어요?"

"마음이 급해. 같이 가자고 왔어. 지금 나와 함께 이곳저곳 상점에 좀 같이 갈 수 있겠지? 새 신발을 사야 하거든. 내 신발 좀 봐…."

노부인은 검정 치마를 조금 들어 올려 흰색 긴 양말과 낡은 신발을, 크고 평발인 발에 어울리는 신발을 클라로에게 보여주었다.

"너와 함께 가지 않으면, 난 아무것도 못 사. 그 사람들이 나를 속이고 팔거든. 하나님은 그 말도 안 되는 일을 아실 터이지만. 내 돈을 헛되이 쓰게 되지. 끈이 달린 보닛 모자에 다는 장식도 필요해. 보닛 모자는 이미 전부 주름이 생겨버렸어. 너와 같이 가지 않으면, 난 아무것도 못 사. 외투만 챙겨 입어. 서둘러 다녀오자 구나!"

클라로는 노부인 말을 듣고는 순간 고개를 숙였다. 그녀는 잠시 아주 슬펐지만, 즉시 눈을 들어 말했다.

"알겠어요. 가겠어요. 외투하고 모자만 챙겨 입고 올게요."

잠시 뒤, 그 둘은 그 집을 떠났다. 클라로는 출입문을 잠그고 열쇠를 겉옷 주머니에 넣었다. 아버지도 열쇠를 가지고 있다. 그들이 정원을 지나갈 때 노부인이 이렇게 말했다.

"상점에서 돈을 바꿔서 남동생 스타쵸Staĉjo 학비를 줄게. 이미 학비 내야 할 때지?"

"감사합니다, 할머니." 클라로가 속삭였다.

— Sen via helpo, ĉu ni povus eduki Staĉjon en la gimnazio?...

— Ne parolu pri tio. Oni devas helpi unu la alian. Ĉu vi ornamos miajn kułojn per la nova garnaĵo, diru?

— Kun plej granda plezuro!

Ĉe la pordo de la ĉirkaŭbaro Klaro rigardis malantaŭen al la siringa laŭbo, apogita al la altaj branĉoriĉaj arboj.

— Adiaŭ! — ŝi pensis kaj subite sentis sin tre malfeliĉa.

Aĉetinte ĉion necesan por la maljuna amikino kaj bonfarantino, Klaro rapidis hejmen. En la pordo de la ĝardeno ŝi renkontis unu el la amikinoj, pri kiuj ŝi hieraŭ rakontis al Przyjemski kaj kiuj seniluziigis ŝin.

Ŝi tiam ploris iom, sed ne koleris kontraŭ la knabino, kiu ŝajnigante amikecon, priridis ŝin kun siaj konatoj, nomante ŝin lavistino, malpurulino k. t. p.

La intimeco ĉesis, sed Klaro pardonis ŝin kaj de tempo al tempo ili kunvenis unu kun la alia.

La blondulino, freŝa kaj rozkolora kiel printempo, en eleganta vesto, en belega ĉapelo, ornamita per floroj, ĉirkaŭprenis ŝin kaj kisis.

La kisoj malagrable impresis Klaron, ĉar ŝi sciis, ke ili estas falsaj, sed ŝi afable akceptis ilin.

"할머니 도움이 없었다면 남동생을 어떻게 김나지움에 보낼 수 있겠어요?"

"그런 얘기 말아. 우리는 서로 도와야 해. 새로운 장식으로 내 보닛에 달아주면 그게 값은 거지?"

"기꺼이 해 드리죠!"

격자 울타리 출입문에서 클라로는 가지가 무성한 큰 나무에 기댄 라일락 꽃나무 정자를 돌아보았다.

'이따 봐!' 그녀는 생각했고 갑자기 자신이 매우 불행하다고 느꼈다.

클라로는 오랜 친구이자 후원자인 노부인이 필요한 모든 것을 구입하는 일을 도운 뒤, 서둘러 집으로 돌아왔다. 그런데 정원 출입문에서 그녀가 어제 프시엠스키에게 이야기했던, 그녀를 실망하게 만든 친구 중 한 명이 이미 와서 기다리고 있음을 알았다.

어제 그 이야기할 때, 그녀는 조금 울먹였다. 그 여자친구가 친한 척하면서, 지인들에게는 클라로를 빨래나 하는 여자, 깨끗하지 못한 여자라며 비웃는 등 여러 일이 있어도 화내지 않았다.

그 뒤 친밀한 관계가 이어지지 못했지만, 클라로는 그 여자친구를 용서했고 때로 그 둘은 만났다.

봄처럼 상큼하고 핑크빛인, 금발의 그 여자친구는 우아한 옷을 입고, 꽃으로 장식된 아름다운 모자를 쓴 채 클라로를 껴안고 키스하며 인사했다.

그 키스는 클라로에게 불쾌한 인상을 주었다. 왜냐하면, 그 키스가 진심이 아니라는 것을 알고 있다. 하지만 클라로는 이를 기쁘게 받아들였다.

Paŭlino ĵus venis kaj, trovinte la pordon fermita, estis forironta.

Invitite de Klaro resti, ŝi respondis, ke ŝi ne havas tempon, ke ŝi venis nur por unu momento, ĉar post unu horo ŝi faros eksterurban ekskurson kun multenombra societo. Ili iros arbaron, kunprenos manĝaĵon en korboj, amuziĝos tre bone.

Domaĝe estas, ke Klaro ne konas la societon, eble ŝi volus partopreni la ekskurson...

— Ho ne! — interrompis ŝin Klaro, rigardante la helan kaj elegantan tualeton de sia samaĝulino, — mi ne povas forlasi la domon por tiel longe.

— Kaj la patro?

— La patro dormas post la tagmanĝo kaj mi helpas Staĉjon en liaj lernekzercoj.

Klaro tre dezirus adiaŭi la amikinon, sed ne trovas pretekston. Paŭlino rakontas, ke ŝi pasigis la hieraŭan tagon en la najbaraĵo, ĉe la intendanto de la princa palaco. Ŝia panjo estas amikino de la edzino de la intendanto.

— Mi ĉiam konsilis al vi koniĝi kun familio Perkowski, ili loĝas tiel proksime... sed vi ne volis. Estis tre gaje hieraŭ, ni eĉ dancis iom, oni nur bedaŭris, ke sinjoro Przyjemski ne venis.

Klaro eksentis kvazaŭ baton en la brusto, sed ŝi tuj ekregis sian kortuŝiĝon. Paŭlino daŭrigis la babiladon:

여자친구 파울리노 Paŭlino 가 방금 왔기에, 그 집 출입문이 닫혀 있는 것을 알고 막 떠나려던 참이었다.

클라로가 들어가자고 초대하자 그녀는 시간 없다면서 잠시 있다 갈게 하고 대답했다. 한 시간 뒤, 사교 모임에 속한 사람들과 함께 시외 소풍을 갈 거란다. 그 소풍 일행은 숲으로 가서, 가져온 바구니에 든 음식을 먹으며, 즐거이 시간을 보낼 것이다.

클라로가 그 모임에 참석하지 못하는 것이 아쉽다. 어쩌면 소풍은 함께 하고 싶을지도 모르지만...

"안 돼!" 클라로가 그 친구의 밝고 우아한 드레스를 바라보며 그 친구 말을 가로막았다. "나는 너무 오랫동안 집을 비워둘 순 없어."

"그런데, 네 아버지는?"

"아버지는 점심 뒤엔 낮잠 주무시거든. 난 남동생의 학교 숙제를 도와야 해."

클라로는 그 친구를 서둘러 보내고 싶지만, 핑계가 없다. 파울리노가 먼저 어제 인근에서 저 왕자궁전의 관리인과 시간을 보냈다고 말했다. 그녀 엄마가 그 관리인 아내의 친구였다.

"네게 늘 페르코브스키 Perkowski 가족과 알고 지내면 좋다고 말했지. 그분들이 바로 옆에 살고 있으니... 하지만 넌 원하지 않았지. 어제는 정말 즐거웠어. 춤도 다 췄어. 프시엠스키 씨가 오지 않은 것만 아쉬웠지."

클라로는 자신의 가슴을 한 대 맞은 듯한 느낌을 받았지만, 이내 감정을 누그러뜨렸다. 파울리노가 대화를 이어갔다.

— Princo Oskaro venis antaŭ kelkaj tagoj kun sia sekretario, Julio Przyjemski, granda favorato de la princo. Ĉe Perkowski sinjoro Przyjemski estis kelkaj fojoj pro negocaj aferoj. kompreneble li ja devis paroli kun la intendanto de la palaco. La geedzoj Perkowski invitis lin al la hieraŭa vespero kaj, ni diru la veron, ili eĉ aranĝis la vesperkunvenon por honori la sekretarion de la princo. Kaj li ne venis! Domaĝo estas, ĉar mi tre deziris vidi sinjoron Przyjemski! Oni diras, ke li estas juna nigraharulo, beleta kaj tre gaja...

— Nigraharulo! — ripetis Klaro.

Sed Paŭlino devis rapidi kaj rakontinte ĉion plej gravan, adiaŭis Klaron per ĉirkaŭprenoj kaj kisoj.

— Vere, domaĝe estas, ke vi ĉiam restas hejme... Ĝis revido, ĝis revido! Mi devas tagmanĝi antaŭ la ekskurso!

Klaro, enirante hejmon, ripetis: „Nigraharulo?" — kaj ridis: Li tute ne estas nigrahara, sed malhele blonda. Gaja? Tute ne. kontraŭe, iom melankolia. Paŭlino, kiel ĉiam, babilas pri ĉio, eĉ se ŝi nenion scias. Iu diris al ŝi: gaja nigraharulo, kaj ŝi ripetas tion al ĉiuj...

Sendube gesinjoroj Perkowski invitis lin al la ekskurso, same kiel hieraŭ al la vesperkunveno, kaj li akompanos ilin. Kiu rifuzus?... Kiel gaje estos ekster la urbo, en arbaro! Mi dezirus esti kun ili.

"오스카로 왕자님이 며칠 전 그 왕자님이 아끼는 비서 율리오 프시엠스키와 함께 오셨대. 프시엠스키 씨는 비즈니스 문제로 페르코브스키 가족을 여러 차례 찾아왔다고 하대. 물론 그 왕자님은 그 궁전 관리인과 이야기를 나눴다고 했지. 페르코브스키 부부가 어젯밤 저녁에 왕자님을 자신의 식탁으로 초대했다고 해. 사실을 말하자면, 그들은 심지어 그 비서를 위한 저녁 모임도 준비했는데. 그 비서가 오지 않았대! 안타깝게도. 그 부부는 프시엠스키 씨를 꼭 만나고 싶었다고 해! 그 사람은 검정 머리의 청년으로, 잘생기고 매우 쾌활한 청년이라고 해….."

"검정 머리의 청년이라고!" 클라로가 반복해 말했다.

그러나 파울리노는 서둘렀고, 가장 중요한 모든 것을 말한 뒤, 포옹과 키스로 클라로와 작별 인사했다.

"정말, 맨날 집에만 있다니 안타깝네…. 잘 있어, 안녕! 소풍을 가기 전에, 난 점심 먹어야 해!"

집에 들어간 클라로는 "검정 머리의 청년이라?" 하고 반복하며 웃었다. 내가 어제 만난 그이는 전혀 검정 머리가 아니고 짙은 금발이다. 쾌활하다고? 전혀 아니다. 오히려 약간 우울하다. 파울리노가, 언제나 그렇듯이, 아무것도 모르면서도 다 아는 것처럼 모든 것을 이야기한다고 누군가가 말해 준 적이 있다. 쾌활한 검정 머리 청년이라고 그녀는 자신이 만나는 사람마다 말해 왔다….

의심할 바 없이 페르코브스키 부부가 그이를 그 소풍에 초대했을 뿐만 아니라, 어제 저녁 식사에도 초대했으니, 그이는 그들과 동행하겠지. 누가 거절하겠는가? 도시 밖 숲속은 얼마나 즐거울까! 나도 그들과 함께 있으면 좋겠다.

Varmega estis, certe, la deziro, ĉar ŝi apogis ambaŭ kubutojn sur la malnova komodo kaj premis la manplatojn al la okuloj, plenaj de larmoj. Du minutoj pasis tiamaniere. Ekvidinte la patron, revenanta el la urbo, Klaro viŝis la okulojn kaj kuris renkonte al li.

Pasis la tago, finiĝis la vespero. En la dometo, kovrita de fazeoloj, la malgrandaj fenestroj estingiĝis. lumo brilis nur en la ĉambreto de Klaro.

Ŝi kudris ankoraŭ, sed post la deka horo ŝi lasis la laboraĵon sur la tablo, intencante baldaŭ reveni, kaj elkuris sur la balkoneton.

Allogis ŝin el la ĉambro la mallaŭtaj murmuretoj de la fazeolaj folioj, balancataj de la vento, kaj la steloj, kiuj briletis antaŭ ŝiaj fenestroj.

La balkono havis du ŝtupojn, truplenajn kaj ŝanceliĝantajn. Klaro eksidis sur unu el ili, apogis la mentonon sur la manplato kaj rigardadis la belan, kvietan vesperon. Regis plena silento. Neniu veturis en tiel malfrua horo sur la strato izola, preskaŭ eksterurba. De la centro de la urbo flugis malklara bruo, mutigata de la interspaco kaj unutona. La arboj grandeguloj en la princa parko jen skuiĝis, jen silentis senmovaj kaj staris, kvazaŭ nigra muro. La aŭgusta ĉielo estis plena de steloj, — la nokta mallumo similis vesperan krepuskon, kaj oni povis distingi la konturojn eĉ de malproksimaj objektoj.

물론 열망은 뜨거웠다. 그녀는 낡은 서랍장에 양 팔꿈치를 얹고, 눈물이 글썽한 눈에 손바닥을 갖다 대었다. 그렇게 2분이 지났다. 도시에서 돌아오는 아버지를 본 클라로는 두 눈을 얼른 닦고 달려가, 아버지를 반갑게 맞이했다.

낮이 지나고 저녁이 끝났다. 콩 덩굴로 덮인 작은 집에 작은 창문이 나 있다. 빛은 오직 클라로의 작은 방에서만 빛났다.

그녀는 여전히 바느질하고 있지만 10시가 지나, 곧 돌아올 생각으로 탁자에서의 일을 마치고 작은 발코니로 달려갔다.

바람에 흔들린 콩잎들이 부드럽게 바스락거리는 소리에, 또, 창문 앞에 반짝이는 별빛에 그녀는 방에서 밖으로 불려 나간 것이다.

발코니에 계단이 둘이다. 하나는 구멍이 많이 나 있고 다른 하나는 삐걱거린다. 클라로는 그 둘 중 하나에 앉아 자신의 손바닥으로 턱을 괴고 아름답고 고요한 저녁을 바라본다. 완전한 침묵이다. 외롭고, 거의 시 외곽인 이 거리에는 이렇게 늦은 시간에 마차를 타고 가는 사람은 없다. 도시 중심부에서 여기까지의 공간을 조용하게 하는 단조로운 소음이 들려 왔다. 왕자공원 나무들이, 마치 거인처럼, 한번은 흔들리고, 한번은 움직임 없이 조용히, 또 마치 검은 벽처럼 서 있다. 8월 하늘은 별들로 가득 차 있고, 어두운 밤은 저녁 황혼과 비슷하고, 멀리 있는 물체 윤곽 정도는 사람들이 쉽게 구분할 수 있다.

Klaro ekvidis la amatan laŭbon, la interrompon en la granda aleo de la parko kaj tra la interrompo, en la fundo de la perspektivo la murojn de la palaco same mallumajn, kiel la apudaj arboj. Sed sur la nigra fono brilis vico da lumoj, kiuj en la komenco ŝajnis al Klaro steloj, briletantaj malantaŭ la arboj, sed tuj ŝi rimarkis, ke tio estis lumigitaj fenestroj.

De kiam Klaro loĝis en la najbaraĵo de la palaco, lumo aperis la unuan fojon en la fenestroj. Tio estis tute natura, ĉar nun la posedanto estis tie.

Ĉu la princo estas tie sola malantaŭ la lumigitaj fenestroj, aŭ eble la sekretario estas kun li? Sendube li ofte, eble ĉiam akompanas la princon. Eble sinjoro Przyjemski ne revenis ankoraŭ de la ekskurso, kiun aranĝis gesinjoroj Perkowski. Eble la societo estas ankoraŭ en la arbaro. Ili ja ne bezonas rapidi. Belega estas la vetero kaj ĉiuj kredeble estas gajaj. Ili promenas en la arbaro, en kiu nun la filikoj estas tiel grandaj kaj la eriko floras...

Jam antaŭ kelkaj minutoj Klaro apogis la kubutojn sur la genuoj kaj kaŝis la vizaĝon en la manplatoj. Sidante tiamaniere, ŝi revis pri la apudurba arbaro, en kiu ŝi estis kelkfoje. Nun ŝi vidis ĝin tre klare kun ĉiuj detaloj: la verdan densejon, en kiu serpentas vojeto, ĉe ambaŭ flankoj maldikaj betuloj kun arĝenta ŝelo, lilikolora eriko, griza musko, folioriĉaj filikoj... Du personoj iras sur la vojeto: sinjoro Przyjemski kaj Paŭlinjo...

클라로는 자신이 즐겨 찾는 정자를 한 번 쳐다보고, 공원의 큰 산책로가 꺾어진 곳을 한 번 쳐다보고, 그 꺾어진 곳을 지나, 저 멀리 풍경의 바닥에서 인근 나무들처럼 그렇게 어두운 궁전 벽을 한번 쳐다보았다. 그러나 검은 배경에는 일련의 빛이 보였는데, 처음에는 클라로가 그게 나무들 뒤에서 반짝이는 별인가 하고 생각했는데, 즉시 그것이 불 켜진 창문 여럿임을 알았다.

클라로는 왕자궁전 근처로 이사 온 뒤로 그 창문들 불빛을 본 것은 처음이다. 이제 주인이 거기에 있기에, 그것은 매우 자연스러운 일이다.

저 불 켜진 창문들 뒤에 그 왕자님이 혼자 있는 걸까, 아니면 비서와 그 왕자님이 함께 있는 걸까? 의심할 바 없이 그 비서는 종종, 아마도 항상 왕자와 동행한다. 어쩌면 프시엠스키 씨는 페르코브스키 씨 부부가 주선한 소풍에서 아직 돌아오지 않았을 수도 있다. 어쩌면 그 모임은 아직 숲속에서 계속 이어지고 있을 수 있다. 서두를 필요는 없을 터이니. 날씨도 좋고 다들 기분 좋으니까. 그 소풍객들은 고사리들이 충분히 자라고, 히스 관목이 꽃을 피운 숲속에서 걷고 있을 것이다.

몇 분 전부터 클라로는 자신의 무릎에 팔꿈치를 괴고, 얼굴을 자신의 두 손으로 가리고 있다. 이렇게 앉아 그녀는 몇 번 가본, 도시 인근 숲을 그려보았다. 이제 그녀는 그 숲의 모든 세부 사항을 매우 명확하게 보았다. 은색 껍질의 얇은 자작나무들, 라일락색의 히스 관목, 회색의 이끼와 잎이 무성한 고사리들을 양편에 둔 길을 가진 초록색 덤불에서 명확히 본다… 두 사람이 길을 걷고 있다. 프시엠스키 씨와 파울리노…

Ili pasas flanko ĉe flanko kaj senĉese parolas unu kun la alia... Li rigardas ŝin per siaj bluaj okuloj sub la stranga sulko sur la frunto kaj diras: „Oni devas nenion aldoni al vi... nenion depreni."

Ĉion tion, la arbaron kaj la paron, iranta en la arbaro, ŝi vidis sub la mallevitaj palpebroj klare, kvazaŭ en hela tago, sed nokto fariĝis en ŝia koro.

Subite ŝi ekaŭdis veluran voĉon, kiu tuj super ŝi skandis la silabojn:

— Bonan vesperon, fraŭlino!

Ne eble estas diri, kio en tiu momento estis pli forta en ŝi: la miro aŭ la ĝojo. Ĉion ŝi povis atendi, sed ne ekaŭdi ĉi tiun voĉon kaj ekvidi la homon, kiu staris nun antaŭ ŝi, la ĉapelo en la mallevita mano. Malgraŭ la krepusko ŝi rimarkis sur lia vizaĝo amikan kaj iom ŝerceman rideton.

— Mi promenis en la ĝardeno, mi ekvidis vin sur la balkono kaj mi ne povis kontraŭbatali la tenton diri al vi: „Bonan vesperon" Bela vespero, ĉu ne vere? Precipe nun ĝi fariĝas tre bela. Pri kio vi tiel meditas?

En la komenco ŝi ne aŭdis, kion li diris, tiel forte batis ŝia koro. Post momento ŝi ankoraŭ ne sufiĉe rekonsciiĝis por respondi lian demandon.

Starante sur la ŝtupo de la balkono, ŝi montris al li per gesto la mallarĝan benkon.

— Sidiĝu, sinjoro, mi petas vin.

— Ĉu ne pli bone estos ĉi tie... sub la steloj.

그 둘은 나란히 걸으며 계속 이야기를 나눌 것이다…. 그이가 자신의 이마의 이상한 주름 아래 파란 두 눈으로 파울리노를 보며 말할 것이다. "당신에게 더할 것은 없어요… 아무 뺄 것도 없어요."

그 모든 것을, 숲과 숲속을 걷는 그 한 쌍을, 그녀는 내려간 눈꺼풀 아래서 선명하게 보았다. 마치 밝은 낮인 것처럼. 그러나 그녀 마음속은 밤이다.

갑자기 그녀는 자신의 바로 위쪽에서 또박또박하고 부드러운 목소리를 들었다.

"좋은 저녁이지요, 아가씨!"

그 순간, 그녀에게 놀람과 기쁨 중 무엇이 더 강했는지 말하기는 불가하다. 그녀는 모든 것을 예상해도, 지금 자신 앞에 손에 모자를 들고, 손을 내린 채 서 있는 남자를 보고, 이 남자 목소리를 듣게 됨은 예상치 못했다. 황혼의 저녁에도 불구하고, 그녀는 그의 얼굴에서 친절하고 다소 농 같은 미소를 발견했다.

"내가 정원을 걷고 있었는데, 한순간 발코니에 있는 아가씨가 보이는 거에요. 아가씨에게 '안녕하세요'라고 말하고 싶은 유혹을 참을 수 없었어요. 아름다운 저녁이지요, 그렇죠? 특히 지금이 매우 아름다운 순간이지요. 지금 무슨 생각에 잠겨 있나요?"

처음에 그녀는 그가 하는 말을 듣지 못할 정도로 심장이 아주 세게 뛰었다. 잠시 뒤에도 그녀는 여전히 그의 질문에 답할 만큼 회복되지 않았다.

그녀는 발코니 계단에 선 채, 그에게 좁은 벤치를 손짓으로 가리켰다.

"프시엠스키 씨, 여기로 앉으세요."

"여기… 별이 비치는 이 아래가 더 좋지 않을까요?"

Per la mano kun la ĉapelo li montris la ĉielon kaj eksidis sur la ŝtupo de la balkono, kiu ekŝanceliĝis sub lia pezo. Klaro ankaŭ sidiĝis iom pli malproksime. Baldaŭ ŝi retrovis sian maltimon kaj ĉeeston de spirito. La sento, kiu nun ekregis ŝin, estis grandega ĝojo, kiu sonis en ŝia voĉo, kiam ŝi demandis:

— Kiamaniere vi eniris en nian ĝardenon.

— Tra la pordeto de la ĉirkaŭbaro — tute ordinara vojo.

— Mi neniam vidis ĝin malfermita: kaj mi tute forgesis pri ĝia ekzistado.

— La pordhokoj kaj la seruro estis rustiĝintaj kaj funkciis malbone, sed mi venkis la malfacilon... pri kio vi pensis?

Ŝia ordinara malkaŝemo kaj ŝia pli kaj pli granda ĝojo diktis al ŝi jenan respondon, kiun ŝi gaje diris:

— Mi demandis min, ĉu via societo jam revenis de la ekskurso aŭ estas revenanta...

Kun miro li levis la kapon.

— Kiu societo?.

— Gesinjoroj Perkowski kaj vi. Mia amikino rakontis al mi, ke ili invitis vin al bela eksterurba ekskurso... Sed kial vi ne ĉeestis ilian hieraŭan vesperkunvenon? Oni malpacience atendis vin.

Przyjemski longe nenion respondis, kaj kiam li komencis paroli, rido iom eksonis en lia voĉo.

그는 자신의 모자를 쥔 손으로 하늘을 가리키며, 발코니 계단에 앉았다. 발코니가 그의 몸무게 때문에 삐거덕 소리를 냈다. 클라로도 조금 더 떨어진 곳에 앉았다. 곧 그녀는 두려움에서 깨어났고 정신도 차렸다. 이제 그녀를 지배하는 느낌은, 그녀가 물었을 때, 그녀 목소리는 엄청 기쁜 기분이다.

"저희 정원에는 어떻게 들어 왔나요?"

"격자 울타리 출입문을 통해서요. 아주 평범한 길이던데요."

"그게 열린 것을 본 적이 없어요. 그 출입문이 있는 것도 완전히 잊어버렸네요."

"문고리와 자물쇠가 녹슬고 작동이 잘 안 됐지만, 그 어려움을 이겨 냈어요.. 그런데 무슨 생각에 잠겨 있었나요?"

그녀의 평범한 솔직함과 점점 더 커지는 기쁨으로 그녀는 다음과 같은 답을 유쾌하게 말했다.

"그쪽의 모임 일행이 이미 소풍을 마치고 돌아왔는지, 아니면 돌아오고 있는지 그 생각 하고 있었어요."

그는 놀라서 고개를 들었다.

"무슨 모임을 말하나요?"

"페르코브스키 씨 부부와 그쪽의 모임요. 제 여자친구가 그쪽을 멋진 교외 소풍에 초대했다던대요…. 그런데 어젯밤에는 왜 그 모임에 참석하지 않았나요? 그분들이 그쪽을 참을성 없이 기다렸다던데요."

프시엠스키는 오랫동안 아무 대답도 하지 않았지만, 그가 말을 시작하자, 웃음이 그의 목소리에 조금 섞여 있다.

— Mi estis nek en la vesperkunveno, nek en la ekskurso. Sed se vi permesos, ni parolos pri io alia kaj pli interesa, ol... gesinjoroj Perkowski. Mi tre dankas vin por la libro, kiun vi pruntis al mi, sed mi ankoraŭ ne redonas ĝin. Mi legos ĝin ankoraŭ kelke da tagoj. Belega poemo! Mi konis ĝin, sed nur supraĵe. Dank' al vi mi pli intime konatiĝos kun ĝi. Kaj nun, diru al mi, kiel vi pasigis la hodiaŭan tagon kaj ĉu ĝi ne ŝajnis al vi longa. Kion vi faris hodiaŭ?

— Kion mi faras ĉiutage. por kio rakonti pri tio!

— Tute kontraŭe. rakontu, mi tre, tre petas vin...

Ŝi gaje ekridis.

— Tre volonte, tre volonte mi ĝin rakontos. Mi reordigis la loĝejon, kuiris la tagmanĝon, lavis mian antaŭtukon, vizitis butikojn kun amikino... Kion ankoraŭ? Mi helpis mian fraton en la lernado, verŝis teon, kudris...

Ŝi parolis senĝene, eĉ kun plezuro. Li demandis:

— Vi do nenion legis hodiaŭ?

— Mi legis iom, kiam la patro dormis ankoraŭ, kaj Staĉjo jam ellernis la lecionojn. Franjo okupiĝis pri la temaŝino, kaj mi iom legis. Mi ricevas librojn de sinjorino, kiu estis mia instruistino en la edukejo.

— Vi estis en edukejo?

Klaro rakontis, ke ŝia patrino, kiu estis instruistino, mem instruis ŝin ĝis la dekdujara aĝo.

"저녁 모임에도, 소풍에도 나는 참석하지 않았어요. 하지만 아가씨가 허락한다면, 우리는 페르코브스키 씨 부부와 관련된 일보다 더 흥미로운 다른 것을 이야기할 수 있겠어요. 그 책 빌려줘서 정말 고맙고요. 그런데 아직 돌려주지 못하겠어요. 며칠 더 읽어보려고요. 정말 아름다운 시더군요! 나는 그걸 이전에 알고 있었지만 단지 표면적으로만 그랬어요. 아가씨 덕분에 그 시집에 더욱 친해지게 되었지요. 이제 내게 말해 봐요. 오늘 당신은 어떻게 보냈는지, 또 오늘이 그리 길지 않았는지요. 오늘 뭐 했어요?"

"내가 매일 하는 일, 그걸 왜 말해야 해요!"

"정반대거든요. 말해 주세요, 정말 정말 간절히 부탁드립니다…"

그러자, 그녀는 즐겁게 웃었다.

"매우 기꺼이, 매우 기꺼이 말할 수 있어요. 집안 정리하고, 점심 준비하고, 앞치마 빨래하고, 여자친구와 함께 여러 상점도 방문했어요…. 그러고 또 무엇이더라? 남동생 학습도 도와주고, 차를 따르고, 바느질하고…."

그녀는 즐겁게, 심지어 아무렇지도 않게 말했다. 그러자 그는 물었다.

"그럼, 오늘은 아무것도 읽지 않았나요?"

"아버지가 주무시는 동안에 조금 읽었어요, 남동생 스타쵸가 이미 자기 수업도 복습했으니. 누이가 차를 끓이는 기계로 바빴지만, 나는 조금 읽었어요. 내가 학교 다녔을 때, 여선생님으로부터 책을 여러 권 받았거든요."

"학교에 다녔나요?"

교사였던 어머니가 딸인 자신이 열두 살 될 때까지 직접 가르쳤다고 그녀는 말했다.

Poste ŝi sendis ŝin en edukejon, kie ŝi ne povis fini la kursojn, ĉar post la morto de sia patrino ŝi devis resti hejme pro la patro kaj la infanoj, ankoraŭ tute junaj tiam. Ŝi forlasis la edukejon tre ĉagrenita, sed nun ŝi tute, tute ne bedaŭras tion, ĉar ŝi konvinkiĝis, ke ŝi estas nepre necesa hejme, ke oni ne povas lasi la patron kaj la infanojn sen protektado.

— Tiel serioza! — ekridetis Przyjemski.

— Serioza! — ŝi ridis. — tute ne! Mi scias mem, kio mankas al mi... sed mi faras, kion mi povas...

— Por esti anĝelo gardanto — finis li duonvoĉe.

Ĉi tiuj dolĉaj vortoj atingis ŝian koron. ŝi mallevis la kapon kaj eksilentis.

Sed lin la rekomenco de la interrompita interparolado tute ne embarasis. Iom kliniĝinte al ŝi, li demandis:

— Kiu estas la maljunulino, kun kiu vi hodiaŭ eliris?

— Kiel vi scias tion?

— Mi vidis vin de la aleo, kie mi sidis, tenante la libron en la mano kaj pensante pri vi.

La eta maljunulino estis sinjorino Dutkiewicz, vidvino de veterinaro kaj baptopatrino de la patrino de Klaro, ŝi estas tre estiminda persono, tre bona kaj komplezema, ilia vera amikino kaj bonfarantino, multfoje ŝi helpis ilin dum malfacilaj tempoj kaj nun ŝi pagas por la edukado de Staĉjo.

나중에 어머니는 딸을 학교에 보냈는데, 학교에서 그녀는 전 과정을 마칠 수 없었다. 왜냐하면, 어머니가 돌아가시는 바람에. 그 뒤로는 당시 아버지와 아직 아주 어렸던 남매들 때문에 집에 있어야 했기 때문이다. 그녀는 매우 상심한 채 학교를 떠났지만, 지금은 전혀 아쉬움은 없다고 했다. 왜냐하면, 그녀는 이 가정에서 자신이 절대적으로 필요하고, 돌봄 없이 아버지와 동생들을 떠날 수 없음을 확신했기 때문이다.

"정말 진지하네요!" 프시엠스키가 미소지었다.

"진지하다니요!" 그녀가 웃었다. "전혀 아니거든요! 나는 나 자신이 부족한 것을 알고 있지만… 내가 할 수 있는 일을 해야 하거든요…."

"수호천사가 되려는 거네요." 그는 낮은 목소리로 말을 마쳤다.

이 달콤한 말이 그녀 마음에 닿았다. 그녀는 고개를 숙이고 침묵했다.

그러나 그는 중단된 대화를 다시 시작한 것에 전혀 당황하지 않았다. 그는 그녀를 향해 조금 몸을 기울이며 물었다.

"오늘 같이 나간 노부인은 누구세요?"

"그건 어떻게 알았어요?"

"한 손에 그 책을 들고 또 아가씨 당신을 생각하며 내가 저 산책로에 앉아 있었을 때 아가씨 당신을 봤어요."

그 키 작은 노부인은 수의사의 미망인이자, 클라로 어머니의 대모代母 두트키에비치 Dutkiewicz 부인이다. 그 부인은 매우 존경할 만한 사람이고, 매우 친절하고 자비심이 많고 클라로 모녀의 진정한 친구이자 은인이다. 그 부인은 어려운 시기에 여러 번 그들을 도왔다. 지금도 클라로 가족의 막내 스타쵸 학비를 내고 있다.

— Ĉi do estas riĉa persono? — demandis Przyjemski.

— Jes, riĉa! — fervore jesis Klaro. — ŝi loĝas sola en tri ĉambroj, havas servantinon...

— Luksa vivo — rimarkis li, kaj ŝi daŭrigis:

— Ŝia edzo havis grandajn enspezojn kaj lasis al ŝi grandan havon. Ŝi mem rakontis al mia patro, ke ŝi posedas kapitalon da dek kvin mil rubloj...

— Granda riĉaĵo, — jesis Przyjemski.

— Tre granda, — diris Klaro, — sed ŝi bone uzas ĝin. Ŝi helpas nin, ŝi helpas multajn aliajn personojn...

— Kial ne?

— Jes. kaj tio estas granda feliĉo por ŝi; alie, sola, sen infanoj, ŝi havus nenian celon en la vivo.

Li interrompis Klaron:

— Sed ĉar ŝi posedas dek kvin milojn, grandan riĉaĵon, ŝi povas imiti Sanktan Virgulinon Parizan!

Li apogis la kubuton sur la supra ŝtupo, klinis la kapon kaj profunde ekmeditis. Klaro rimarkis kaj komprenis liajn sentojn. Ŝi eksilentis, ne kuraĝante plu paroli. Tio daŭris du, tri minutojn. Przyjemski rektiĝis kaj kun levita kapo rigardis la stelojn. En ilia lumo Klaro ekvidis, ke lia sulko inter la brovoj estis tre profunda. Post momento li diris mallaŭte:

— La steloj falas.

Klaro, ankaŭ mallaŭtigante senvole la voĉon, respondis:

"그래 그분은 부자인가요?" 프시엠스키가 물었다.

"네, 부자예요!" 클라로는 열성적으로 동의했다. "그분은 혼자서 방 셋 있는 집에, 하녀도 두고 있어요…."

"호화로운 삶이네요." 그는 이렇게 말했고, 그녀는 계속 이어갔다.

"그분 남편이 수입이 많아 큰 재산을 남겼어요. 그분은 자신의 자본금이 15,000루블이라고 제 아버지께 말씀하셨어요."

"엄청 부자이시네요." 프시엠스키도 동의했다.

"엄청요." 클라로가 말했다. "하지만 그분은 그것을 잘 사용해요. 그분은 우리를 돕고, 다른 많은 사람도 돕고 있어요."

"왜 아니겠어요?"

"예, 또 그게 그분에게 큰 행복이랍니다. 그렇지 않으면, 아이도 없이 혼자라면, 인생에 목표가 없을 테니까요."

그가 클라로 말을 방해했다.

"하지만 1만 5천이라는 거금을 소유하고 있으니, 파리의 성모님을 닮아갈 수 있겠군요!"

그는 계단 꼭대기에 팔꿈치를 얹고 고개를 숙이고 깊은 명상에 빠졌다. 클라로는 그의 감정을 알아차리고 이해했다. 그녀는 더는 감히 말 못 하고 침묵에 빠졌다. 그것은 2-3분간 지속되었다. 프시엠스키는 몸을 곧게 펴고 고개를 들어, 하늘의 별들을 바라보았다. 그 별들의 빛 속에서 클라로는 그의 눈썹 사이의 고랑이 매우 깊음을 알 수 있었다. 잠시 뒤, 그는 부드럽게 말했다.

"별이 여럿 떨어지네요."

클라로 역시 자신도 모르게 목소리를 낮추며 대답했다.

— En aŭgusto ĉiam falas multe da steloj.

Kaj post momento ŝi aldonis:

— Oni diras, ke kiam stelo falas, oni devas antaŭ ĝia estingiĝo esprimi deziron kaj ĉi tiu deziro plenumiĝos... Jen sinjoro, ankoraŭ unu falis!... Kaj tie! Kaj tie! Ili falas, kvazaŭ pluvo.

Rigardante la ĉielon, de kiu tie ĉi kaj tie falis oraj fajreroj kaj tuj estingiĝis en la subĉiela krepusko, li diris malrapide:

— Esprimu do deziron... la steloj falas amase kaj vi sukcesos eldiri ĝin, antaŭ ol ĉiuj estingiĝos.

Klaro silentis; li turnis la kapon al ŝi. Ili sidis nun tiel proksime unu de la alia, ke ŝi vidis klare la brilon de liaj okuloj.

— Pri kio vi petus la falantan stelon?

Penante paroli libere, ŝi respondis:

— Mi estas terura egoistino. Se mi kredus, ke la falantaj steloj plenumas la homajn dezirojn, mi petus senĉese: resaniĝu la patro, lernu diligente la infanoj kaj estu bonaj!...

— Kaj por vi? — li demandis.

Granda estis la miro de Klaro.

— Por mi? Mia peto esprimus ja ĝuste mian varmegan deziron... mi do petus tiamaniere por mi mem.

— Abomena egoismo! — li diris

"8월에는 늘 별이 많이 떨어지네요."

잠시 후 그녀는 이렇게 덧붙였다.

"별이 떨어질 때, 그 별이 없어지기 전에 소원을 빌면, 그 소원이 이루어진다고들 하는데… 저길 보세요. 또 별이 떨어져요!... 그리고 저기! 거기! 저들이 비처럼 내리네요."

여기저기서 황금 불꽃이 떨어져 곧바로 바깥 황혼 속으로 빠져나가는 하늘을 바라보며 그는 천천히 말했다.

"그러니 소원을 빌어 봐요…. 저 별들이 저리 많이 한꺼번에 떨어지고 있는데, 저 별들 다 없어지기 전에 소원을 꼭 말해 봐요."

클라로는 침묵했다. 그는 그녀에게 고개를 돌렸다. 이제 두 사람은 서로 너무 가까이 앉아 있었기에, 그녀는 그의 눈에 반짝이는 빛을 분명히 볼 수 있다.

"그럼, 별 떨어지는 걸 보면서 아가씨 당신은 뭘 기원하고 싶어요?"

그녀는 자유롭게 말하려고 노력하면서 이렇게 대답했다.

"나는 지독한 이기주의자예요. 떨어지는 별들이 사람들 소원 들어준다고 믿는다면, 저는 끊임없이 기도할 거예요. 아버지 건강을 잘 보살펴 달라고요, 아이들이 공부 열심히 하고 착하게 되기를요!"

"그럼 아가씨 당신을 위해서요?" 그가 물었다.

정말 그 말에 클라로는 깜짝 놀랐다.

"나를 위한 거요? 나는 이미 열렬한 소망을 정확하게 말한 걸로 아는데요…. 그러니 난 나를 위해서도 그런 식으로 기도하고 싶어요."

"지독한 이기심이네요!" 그는 말했다.

— sed ĉu efektive vi ne dezirus, ke la ora steleto sendu al vi iam... ian feliĉon grandan, senliman, kiu aliformigas la koron en flaman stelon, vivantan alte, alte super la tero?

Ŝi sentis, ke ŝia koro jam fariĝas flama stelo, kaj ĝuste tial ŝi respondis ŝerce:

— Se mi devus nepre peti pri io por mi mem, mi komunikus al la steloj mian deziron fari ekskurson kaj pasigi tutan duontagon en la arbaro. Mi adoras la arbaron.

Poste ŝi aldonis:

— Kaj pri kio vi petus la falantan stelon?

— Mi?

Li komencis paroli meditplena:

— Mi petus la oran stelon pri la kredo, ke ekzistas sur la tero koroj bonaj, puraj kaj fidelaj; mi petus la stelon, ke tia koro apartenu al mi...

Post mallonga silento li daŭrigis:

— Mi dirus: Hela stelo, helpu min forgesi la mallumajn sonĝojn, kiuj tiel ofte turmentis min...

Ŝi aŭskultis la voĉon, ŝi ensorbis la vortojn, plenajn de maldolĉa melankolio. Ĉarma estis la voĉo, malĝojaj la vortoj, nekompreneblaj sed timigaj...

Li ekstaris kaj diris, ŝanĝante la tonon:

— Ni promenu iom en la ĝardeno, mi petas vin.

"하지만 아가씨 당신은, 실제로, 저 작은 황금빛 별이 언젠가 아가씨 당신에게… 뭔가 크고 가이 없는 행복을 가져다주게 하고, 그런 당신 마음을 지구 저 높은 곳의 빛나는 별로 바꾸어 지기를 바라지 않겠어요?"

그녀는 자신의 마음이 이미 빛나는 별이 되고 있음을 느꼈고, 그것이 바로 이런 대답을 농으로 하는 이유였다.

"스스로 꼭 필요한 것이 내게 있다면, 반나절 정도 소풍을 가서 저 숲에서 지내고 싶다는 마음을 저 별들에 전하고 싶어요. 난 저 숲이 정말 좋거든요."

그런 다음 그녀는 이렇게 덧붙였다.

"그럼, 프시엠스키 씨는 떨어지는 저 별에 무엇을 요청할 거에요?"

"나요?"

그는 신중하게 말하기 시작했다.

"세상에는 선하고 순수하며 신실한 마음이 있다는 믿음을 저 황금빛 별에 간절히 바라고 싶어요. 그런 마음이 내 것이 되도록 저 별에 물어보고 싶어요…."

잠시 침묵한 후 그는 계속했다.

"나는 이렇게 말하고 싶습니다. 밝은 별이여, 나를 너무나 자주 괴롭히는 어두운 꿈들을 잊게 도와주오…."

그녀는 그의 목소리를 들으면서, 그 목소리에 쓸쓸하고 우울한 말이 많이 들어있구나 하고 받아들였다. 목소리는 매력적인데, 말은 슬프고, 알 수 없을 정도로 무섭다….

그는 자리에서 일어나, 말투를 바꾸며 말했다.

"우리 함께 정원을 산책해 봐요."

Obeeme ŝi sekvis lin al la siringa laŭbo sur la herbo malseka de roso, inter du vicoj de ribaj arbustoj.

— Vi petus la falantan stelon pri sano por via patro... Ĉu li ne estas tute sana?

— Jes! jam delonge...

— Kiun malsanon li suferas?

— Brustan...

— Tio estas tre malĝoja; ĉu li kuracigas sin?...

— Antaŭ kelkaj jaroj li tion faris, sed nun li neniam venigas kuraciston. La kuracado kostas multe kaj malmulte efikas, kredeble pro lia malfacila kaj laciga ofica laboro. La plej grava afero estas konformiĝi al la higienaj postuloj: frue kuŝiĝi por la dormo, trinki lakton, manĝi multe da fruktoj.

Przyjemski diris:

— La lasta postulo estas facile plenumebla. Loĝante en sufiĉe granda ĝardeno apud alia ankoraŭ pli granda... En la princa ĝardeno estas bonegaj fruktoj...

Klaro ekridetis en la krepusko. Stranga homo! Ŝia patro bezonas fruktojn; la ĝardeno de la princo posedas multe da ili... sed kia estas la rilato de ĉi tiuj du faktoj?

Li silente rigardis ŝin, kvazaŭ atendante ion. Poste li komencis paroli per indiferenta tono:

그녀는 순종적으로 그를 따라 두 줄의 까치 밤나무 관목 사이의, 이슬에 젖은 풀밭 위의 라일락 정자가 있는 곳까지 갔다.

"떨어지는 별에 아버지 건강 유지를 빌었지요…. 건강에 문제가 있는가요?"

"예! 오래 되었어요…."

"부친이 무슨 병을 앓고 있나요?"

"가슴에…."

"정말 안타깝네요. 그분은 치료를 받고 있는가요?"

"몇 년 전에 발병했는데, 요즘은 의사 선생님을 한 번도 데려오지 않아요. 치료 비용이 많이 들고 효과가 거의 없어요. 아마도 아버지가 하시는 힘들고 피곤한 업무가 원인일 거예요. 가장 중요한 것은 위생 요건에 맞춰 생활하는 것이거든요. 일찍 잠자리에 들고, 우유를 제때 챙겨 마시고, 과일을 많이 섭취하셔야 하거든요."

그 말에 프시엠스키는 이렇게 말했다.

"마지막 요구사항은 충족하기 쉽습니다. 이보다 좀 더 넓고 큰 정원에 내가 살고 있는데… 왕자정원에 멋진 과일이 많이 열려요…."

클라로는 황혼 속에서 미소를 지었다. 이상한 남자구나! 그녀 아버지가 과일이 필요한데, 왕자정원에 좋은 과일이 많다니. 그러나 이 두 가지 사실이 무슨 관련이 있단 말인가?

그는 마치 무언가를 기다리는 듯 조용히 그녀를 바라보았다. 그다음 그는 무관심한 어조로 말하기 시작했다.

— Hodiaŭ mi vizitis kun la princo la persikejon, ananasejon, varmigejon, kiuj estas plenaj de bonaj fruktoj, kaj la princo diris al mi, ke mi sendu la superfluon al gesinjoroj Perkowski kaj al ĉiuj miaj konatoj en la urbo...

Ree li ĉesis paroli kaj rigardis ŝin.

Ŝi diris:

— La princo estas tre afabla homo.

Kaj tuj ŝi montris la palacon.

— Kiel bela estas nun la palaco kun la lumigitaj fenestroj! Hodiaŭ vespere, kiam mi turnis la unuan fojon la okulojn al la palaco, la fenestroj ŝajnis al mi steloj, brilantaj tra la foliaĵo.

Ili staris ĉe la krado, apud la laŭbo. En la kvieta aero delikate murmuris la arboj, kaj poste, kvazaŭ respondante la akordon de la naturo, muziko eksonis de la palaco, de la lumigitaj fenestroj. Iu ekludis kelke da akordoj sur la fortepiano kaj tuj interrompis.

— Ĉu iu ludas en la palaco? — flustris Klaro.

Przyjemski respondis:

— La princo. Li tre amas muzikon kaj ni ofte ludas kune.

— Ĉu vi ankaŭ ludas?

— Violonĉelon; li akompanas fortepiane kaj reciproke. Ĉu vi amas la muzikon?

"오늘 나는 왕자님과 함께 품질 좋은 과일로 가득한 복숭아 과수원, 파인애플 과수원과 온실을 방문했는데, 왕자님은 잉여 농작물을 페르코브스키 씨 부부와, 도시에 있는 모든 지인에게 보내라고 하셨어요…."

그는 다시 말을 멈추고 그녀를 바라보았다.

그녀가 말했다.

"왕자님은 정말 친절한 분이네요."

그리고 즉시 그녀는 궁전을 가리켰다.

"저렇게 불 켜진 창문들이 있는 궁전은 정말 아름답네요! 오늘 저녁, 처음으로 궁전 쪽으로 제가 눈을 돌렸을 때, 저 창문이 나뭇잎 사이로 빛나는 별처럼 보였어요."

그 둘은 정자 옆의 격자 울타리에 다가섰다. 조용한 공기 속에 나무들이 은은하게 속삭이듯, 마치 이러한 조화로운 자연에 화답하듯, 궁전의 불이 켜진 창문을 통해 음악이 흘러나오기 시작했다. 누군가 그랜드피아노에서 몇 개의 화음을 연주하기 시작했는데 즉시 중단되었다.

"궁궐에 누군가 연주하고 있나요?" 클라로가 속삭였다.

프시엠스키는 다음과 같이 대답했다.

"왕자님이지요. 그분은 음악을 정말 사랑합니다, 우리는 자주 함께 연주해요."

"그쪽도 연주할 줄 알아요?"

"첼로를요. 그분은 피아노를 치고요, 서로 바꿔 연주하기도 해요. 아가씨, 당신은 음악을 사랑해요?"

En la palaco ree eksonis la akordoj kaj ĉi foje daŭris pli longe, kuniĝante kun la murmuro de la arboj. Baldaŭ ĉesis la muziko de la naturo, sed la fortepiano daŭrigis la kanton.

— Mi ne povas aŭskulti muzikon sen kortuŝiĝo, — diris Klaro.

— Ĉu vi ofte aŭskultis ĝin?

— Post la morto de mia patrino, kiu ofte ludis vespere por la patro, mi aŭdis la muzikon ĉe konatoj du, tri fojojn...

Przyjemski ekkriis kun miro:

— Ĉu tio estas ebla? Aŭdi muzikon du aŭ tri fojojn dum kvar jaroj! Kiel vi povas vivi sen muziko?...

Ŝi respondis kun rideto:

— Ĝi ne estas grava afero, ĝi estas nur plezuro...

— Kompreneble, — li jesis — negrava estas la afero vivi sen plezuroj... precipe en via aĝo...

— Vi estas prava, — ŝi konsentis — jam de longe mi ĉesis esti infano.

Li rigardis supren.

— Ĉu la steloj falas ankoraŭ?

Ŝi respondis, turninte la okulojn al la ĉielo:

— Oh jes! Ili falas ankoraŭ! Jen unu, super la granda arbo... jen nun alia, ĝuste super la palaco. Ĉu vi vidis ĝin?

— Mi vidis... Nun diru: mi deziras aŭdi belan muzikon.

궁전에서 화음이 다시 울리기 시작했다. 그 음악은 때로는 나무들의 속삭임과 합쳐 더 오래 이어지기도 했다. 곧 자연의 음악은 멈췄지만, 그랜드피아노 연주는 계속되었다.

"감동 없이는 음악을 들을 수 없지요." 클라로가 말했다.

"자주 듣나요?"

"저녁에 어머니가 아버지를 위해 자주 연주하셨어요, 어머니가 돌아가신 뒤로는, 지인들 집에서 겨우 두세 번 음악을 들었네요…"

프시엠스키는 놀랍게도 이렇게 외쳤다.

"그게 말이 되어요? 4년 동안 음악을 2~3번만 들었다니요! 음악 없이 어떻게 살 수 있어요?"

그녀는 살짝 웃으며 대답했다.

"그게 중요한 일은 아니거든요. 그냥 즐거움이지요…"

"물론," 그는 동의했다. "즐거움 없이 사는 게 중요한 일이 아닐 수 있지요…. 특히 아가씨, 당신 나이에는…."

"그 말 맞아요." 그녀는 동의했다. "나는 오래전부터 아이가 아니에요."

그는 위를 올려다보았다.

"별은 여전히 떨어지고 있나요?"

그녀는 눈을 하늘로 향하며 대답했다.

"오호, 예! 아직도 떨어지고 있네요! 하나는 저 큰 나무 위로, 또 하나는 여기 궁전 바로 위로요. 저것 보았지요?"

"봤어요…. 이제 이렇게 말해 봐요. 나는 아름다운 음악을 듣고 싶어요."

Ŝi komencis ridi, sed li insistis.

— Diru, mi petas vin: „Ora stelo, faru, ke via tera fratino aŭdu hodiaŭ belan muzikon!" Ripetu tion, se plaĉas al vi...

Nekapabla kontraŭbatali lian volon, kun rideto sur la tremantaj lipoj ŝi komencis ripeti:

— Ora stelo, faru, ke via fratino...

Sed ŝi haltis, ĉar en la aero ekflugis muziko. Tio ne estis plu apartaj akordoj, sed harmoniaj, seninterrompaj tonoj. Admiro aperis sur ŝia vizaĝo, turnita al la steloj. Rideto malfermetis ŝian buŝon, ora brilo plenigis ŝiajn okulojn, malgraŭ la krepusko. Ŝi staris kvazaŭ najlita al la tero, aŭdante ekstaze la muzikon. Lia parolado fariĝis flustro:

— Vi vidas, kiel rapide la steloj plenumas la dezirojn de siaj teraj fratinoj! Sed rilate al vi mia komparo ne estis bona. Oni ekstreme trouzis ĉi tiun komparon, kiu nun rememorigas ion tute alian... Jen nova penso!... Ĉu vi scias, kiu estis Heine?

— Germana poeto, — ŝi flustris.

— Jes; mi rememoris nun versaĵon de Heine, per kiu mi adiaŭos vin...

Li mallevis la kapon, kvazaŭ por ĝuste rememori la versaĵon. La muziko fariĝis pli kaj pli melodia kaj klara; la arboj mallaŭte ekmurmuris. Kun la muziko de la fortepiano kaj naturo kuniĝis velura, karesema voĉo:

그녀는 웃었으나, 그가 고집했다.

"이렇게 말해 봐요. '황금빛 별님, 오늘 이 땅의 누이에게 아름다운 음악을 들려주세요!' 이 문장이, 아가씨 당신 마음에 들면, 한번 따라 해 줘요…."

그의 뜻을 거부할 수 없었던 그녀는 떨리는 입술에 미소를 지으며 이렇게 되풀이하기 시작했다.

"황금빛 별님, 이 땅의 누이에게…."

그러나 그때 음악이 공중에 들려오기 시작했기에, 그녀는 자신의 말을 멈췄다. 이것은 더는 분리된 화음이 아니라, 조화롭고 중단되지 않는 곡조였다. 별을 향하던 그녀 얼굴에 감탄이 나타났다. 황혼의 저녁임에도 그녀 입은 미소로 열리고, 황금빛은 그녀 눈에 가득 찼다. 그녀는, 땅에 못 박힌 듯, 서서 황홀하게 그 음악을 들었다. 그의 연이은 말은 속삭임이 되었다.

"별들이 자신의 이 땅의 누이들 소원을 얼마나 빨리 성취하게 해 주는지 보았지요! 하지만 아가씨 당신과 관련해, 나의 비교는 좋지 않아요. 이 비교가 극도로 남용되어 이제 완전히 다른 뭔가를 기억나게 해 주네요…. 이제 새로운 생각이 들었어요! 하이네(Heine)7)가 누구인지 알죠?"

"독일 시인이요." 그녀가 속삭였다.

"그렇지요. 지금 생각난 하이네의 시 한 구절로 당신과 작별 인사하려고요…."

그는, 그 시 구절을 정확히 기억하려는 듯, 고개를 숙였다. 음악은 점점 더 선율적이고 똑똑히 들려왔다. 나무들이 부드럽게 속삭였다. 그랜드피아노와 자연의 음악과 함께 부드럽고 애무하는듯한 목소리가 합류했다.

---

7) *역주: 하이네(1797-1856)는 독일의 대표적인 낭만주의 시인이자 정치 저널리스트로, 통렬한 기지와 비할 데 없는 서정성을 갖춘 시인. 독일어를 가장 아름답게 표현한 시인으로 여겨진다.

Vi estas kiel la flor'
Tiel bela kaj pura kaj ĉarma!...
Mi rigardas vin... kaj mia kor'
Konsumiĝas per tremo malvarma...
Al ĉielo etendus mi for
Miajn manojn... petegus mi larma,
Ke Di' lasu vin por sia glor'
Tiel bela kaj pura kaj ĉarma!...
[Traduko de Leo Belmont]

Elparolante la lastajn vortojn, li prenis ŝian manon, kliniĝis kaj delikate kisis ĝin, apenaŭ tuŝetante per la lipoj. Post momento li diris:

— Atendu iom. Mi tuj ludos por vi kun mia amiko...

Li metis la ĉapelon kaj rapide foriris.

Tra la pordeto de la krado li eniris en la ombroplenan ĝardenon kaj malaperis inter la arboj. Ĉirkaŭ Klaro dum kelkaj minutoj regis plena silento, ĝis ree eksonis la muziko, ĉifoje de du instrumentoj. Malantaŭ la lumigitaj fenestroj de la palaco fortepiano kaj violonĉelo ludis harmonie grandan verkon, kies tonoj plenigis la ombrojn de la parko, miksiĝis kun la mallaŭta murmuro de la arboj, kaj ĉirkaŭis per ebriiganta ĉarmo la knabinon, apogita al la krado kaj kaŝanta la vizaĝon en la manoj.

꽃같이 정말 예쁜 당신은
청순하고 매력적이네요!
당신을 바라보는 이 마음
차가운 추위처럼 떨려요…:
저 하늘을 향해 내 두 손을 들어,
나는 눈물로 간청합니다.
하나님께서 자신의 영광을 위해, 당신을
예쁨과 청순, 매력으로 살아가게 해 주시길!8)

마지막으로 그 말을 하면서 그는 그녀 손을 한 번 잡고는, 몸을 굽혀 입술로 간신히 닿을 정도로 살며시 키스했다. 잠시 후 그는 이렇게 말했다.

"조금만 기다려요. 내가, 저 친구랑 같이, 당신을 위해 곧 연주할게요…."

그는 머리에 모자를 둘러쓰고는 서둘러 떠났다.

그는 격자 울타리의 작은 출입문을 통해 그늘이 가득한 정원으로 들어가, 나무들 사이로 사라졌다. 클라로 주위에 음악이 다시 시작될 몇 분 동안 완전한 침묵이 흘렀다. 이번에는 2개 악기로 연주되었다. 궁전의 불 켜진 창문 뒤에서 조화롭고 훌륭한 작품이 그랜드 피아노와 첼로로 연주되었다. 그 음악은 공원의 그림자들을 가득 채웠고, 나무들의 부드러운 속삭임과 뒤섞였다. 또 그 음악은 매혹적으로 격자 울타리에 몸을 기대고, 두 손으로 얼굴을 숨긴 채 서 있는 그 아가씨를 에워쌌다.

---

8) 주: [레오 벨몬트 번역] [Traduko de Leo Belmont]

Ĉapitro III

Klaro ekdormis tre malfrue kaj tre frue vekiĝis. Ordinare ŝi tuj saltis el la lito al la lavvazo kaj longe baraktis en la akvo, kvazaŭ birdo en la sablo. Hodiaŭ ŝi sidiĝis sur la lito kaj aŭskultis. Ŝia kapo, ŝia tuta estaĵo estis plena de melodiaj tonoj kaj de ritmaj vortoj, kiuj karesis ŝiajn orelojn kaj koron.

Vi estas kiel la flor'
Tiel bela kaj pura kaj ĉarma!...

La fortepiano kaj la violonĉelo daŭrigis:

Al ĉielo etendus mi for
Miajn manojn... petegus mi larma...

Ŝi venkis la revemon, saltis el la lito kaj post duonhoro ŝi jam estis vestita. Dum ŝi lavis sin, purigis la vestojn, la venko daŭris ankoraŭ, sed kiam butonumante la korsaĵon, ŝi ekstaris antaŭ la fenestro, ŝi ree aŭdis la kanton:

제3장

클라로는 밤늦은 시간까지 자지 못하고, 아침 일찍 깼다. 보통은 그녀가 즉시 침대에서 일어나 세면대로 가서 모래 위의 새처럼 오랫동안 세수한다. 오늘은 일어나자마자 침대에 앉아 귀를 기울였다. 그녀의 머리, 온몸은 귀와 마음을 쓰다듬는 아름다운 멜로디와 멋진 문장으로 가득 차 있었다.

꽃같이 정말 예쁜 당신은
청순하고 매력적이네요!

그랜드피아노와 첼로가 연이어 말했다.

저 하늘을 향해 내 두 손을 들어,
나는 눈물로 간청합니다.

그녀는 그 꿈을 떨치고, 침대에서 뛰어내렸고 30분 뒤에는 이미 옷을 챙겨 입었다. 그녀가 세수하고, 빨래하는 동안에도 승리감은 계속되었지만, 웃옷의 단추를 채우고 창문 앞에 섰을 때, 그녀는 다시 그 노래를 들었다.

Ke Di' lasu vin por sia glor'
Tiel bela kaj pura kaj ĉarma!...

Dio, Dio! Kio okazis? Kiel feliĉa ŝi estas! Ŝia koro ensorbis dolĉan feliĉon, pri kiu ŝi eĉ ne imagis ĝis nun... „Mi ludos por vi kun mia amiko..." Ili ludis ĝis malfrua vespero, ŝi aŭskultis. Kia nokto! Oni ludis por ŝi! Neniam ankoraŭ okazis io simila. Li ludis por ŝi... por ŝi!... Kiel bona li estas!

Ŝi forte kunpremis la manojn kaj diris decide:

— Sufiĉe!

Ŝi ĵetis sur siajn ŝultrojn manteleton, sur sian kapon lanan tukon, kaptis de la kuireja tablo korbon kun tenilo kaj kovrilo, pli grandan ol la korbo por la kudraĵo. Ŝi devis kuri bazaron por aĉeti kuirejan provizon. La patro kaj frato dormos ankoraŭ unu horon; Franjon ŝi vekos, por ke ŝi kuiru la lakton kaj gardu la fornon, sed antaŭe ŝi kuros en la ĝardenon kaj alportos la kruĉon, kiun ŝi forgese lasis ĉe la malgranda florbedo. Eble Franjo bezonos ĝin kaj ne povos ĝin trovi. Klaro kuris sur la balkonon kaj subite haltis. De kie ĝi venis? Korbo plena de belegaj fruktoj! Neniam ŝi vidis tiajn!

Sur la mallarĝa benko de la balkono staris korbo plena de freŝaj fruktoj, arte dismetitaj de lerta ĝardenista mano. En la mezo inter la folioj kronis la fruktan piramidon ananaso, tute ora sub la radioj de la leviĝanta suno;

하나님께서 자신의 영광을 위해, 당신을
예쁨과 청순, 매력으로 살아가게 해 주시길!

하나님, 하나님! 이게 무슨 일인가? 그녀는 정말 행복하다! 그녀 마음은 지금까지 상상하지도 못한 달콤한 행복에 흠뻑 빠졌다…. "내가, 저 친구랑 같이, 아가씨 당신을 위해 곧 연주할게요…." 그 둘은 저녁 늦게까지 연주했고, 그녀는 귀를 기울였다. 멋진 밤이야! 그녀를 위해 사람들이 연주를 다 해 주다니! 이전에는 그런 일이 일어난 적이 없었다. 그이가 그녀를 위해… 그녀를 위해 연주해 주다니! 그이는 정말 좋은 사람이네!

그녀는 자신의 두 손을 꽉 쥐고 단호하게 말했다.

"충분해!"

그녀는 어깨에 작은 망토를 두르고 머리에 모직 천을 걸치고는 식탁에서 바느질 바구니보다 큰 손잡이와 덮개가 달린 바구니를 집어 들었다. 반찬거리를 사러 시장으로 달려가야 했다. 아버지와 형제는 한 시간 더 자고 있을 것이다. 누이를 깨워, 누이가 우유를 데우고 난로를 지켜보라고 시킬 것이다. 하지만 그녀 자신이 먼저 정원으로 달려가, 작은 화단 옆에 두고 깜박 잊어 아직 챙겨놓지 못한 주전자를 가지러 갈 것이다. 아마도 누이가 그게 필요한 것을 알지만, 그게 어디에 있는지 찾지 못할 수도 있으니. 클라로는 발코니 위로 달려갔는데, 갑자기 멈춰 섰다. 이게 어디서 왔지? 아름다운 과일들이 가득한 바구니! 그녀는 그런 것을 한 번도 본 적이 없다!

발코니의 좁은 벤치에 숙련된 정원사 손길로 예술적으로 배열된 신선 과일들이 가득 담긴 바구니 하나가 놓여 있었다. 과일 나뭇잎들의 한가운데, 떠오르는 햇살 아래, 완전히 황금빛인 파인애플 과일이 피라미드 왕관처럼 장식되어 있다.

ĉirkaŭis ĝin rozaj persikoj, flavaj abrikotoj, verdaj renklodoj, sub kiuj ruĝaj pomoj kaj grandaj piroj sin apogis al melono, kovrita de delikataj vejnetoj.

La tuton pentrinde ornamis folioj, kovrantaj ankaŭ la korbon. Alloge odoris la ananaso kaj melono. Freŝa roso brilis sur la folioj.

Klaro staris kun mallevitaj kaj forte kunpremitaj manoj. En la unua momento de admiro ŝi demandis: „De kie?" sed tuj ŝi respondis al si: „De li!" Antaŭ ŝia vekiĝo iu venis, laŭ lia ordono, en la ĝardenon kaj metis la korbon. Li ja diris, ke la princo permesis al li disdonadi la fruktojn de sia ĝardeno al siaj konatoj.

Fajra ruĝo kovris ŝian vizaĝon.

— Li disdonu ilin... sed ne al ni! ne al mi — ŝi ripetis, — ho ne! Neniam! Donaco de tute nekonata homo, — neniam!

Ŝi klare eksentis nun, ke li estas fremda por ŝi, kaj samtempe doloriga sago trapikis ŝian koron. Sed ĉu ĝi doloras ŝin aŭ ne, tamen li estas fremda por ŝi. Li ne konas eĉ ŝian patron! Kiel la patro povos akcepti la fruktojn, donacitajn de nekonata homo. Oni devas redoni ilin al li, sed kiamaniere? Kiu reportos? Eble Staĉjo? Oh ne, ne! Ŝi ektremis pensante, ke Franjo aŭ Staĉjo povas vekiĝi kaj veni sur la balkonon. Kion ŝi dirus al ili?

Poste ŝi decidos, kion fari; nun ŝi kaŝos plej rapide la korbon, por ke neniu vidu ĝin.

그러고 그것은 장밋빛의 복숭아, 노란 살구, 녹색 자두로 둘러 싸여 있고, 그 아래로 빨간 사과와 큰 배가 여럿이 섬세한 줄이 나 있는 멜론에 기댄 채 있다.

이 모든 것을 과일 나뭇잎들이 그림처럼 장식하고, 또 바구니 도 전체를 덮었다. 파인애플과 멜론이 매력적인 향을 품어낸다. 신선한 이슬이 나뭇잎에 반짝였다.

클라로는 두 손을 꼭 쥐고, 내린 채 섰다. 감탄의 첫 순간에 그녀는 "어디서?" 라고 물었지만 즉시 "그이가 보냈구나!" 라고 스스로 대답했다. 그녀가 잠에서 깨어나기 전에 누군가가, 그이 의 명을 받아, 정원으로 들어와, 이 바구니를 놓고 갔구나. 그이 는, 정말, 왕자님이 자신의 정원 열매를 지인들에게 나눠줄 수 있도록 허락했다는 말을 어제 했다.

불타는 붉음이 그녀 얼굴을 덮었다.

"그분이 나눠주게 해도… 우리에게는 보내지 않아도 되어요! 나한테는 말고" 그녀는 반복해서 말했다. "아, 안돼! 절대로! 전혀 모르는 사람이 보낸 선물인걸, 절대로!"

이제 그녀는 그이가 낯선 사람임을 분명히 느꼈고 동시에 고 통스러운 화살이 그녀 마음을 찔렀다. 그러나 그게 그녀에게 상 처를 주든 주지 않든, 그이는 여전히 그녀에게 낯선 사람이다. 그 사람은 그녀 아버지도 아직 모른다! 아버지도 모르는 사람이 선물한 과일을 어떻게 받겠는가. 저건 그 사람에게 돌려줘야 한 다. 그런데 어떻게? 누가 그걸 되돌려주지? 아마 남동생 스타쵸 가? 아, 안돼, 안돼! 그녀는 누이와 남동생을 깨워, 이 발코니로 오게 해야 한다는 생각에 몸을 떨었다. 그녀가 동생들에게 뭐라 고 하지?

그다음 그녀는 무엇을 해야 할지 결정할 작정이다. 이제 그녀 는 아무도 그 바구니를 보지 못하게 가능한 한 빨리 바구니를 숨길 작정이다.

Ŝi tuj kaŝis ĝin en la kuireja ŝranko, kiun ŝi zorge ŝlosis. Feliĉe ĉiuj dormis ankoraŭ. Nun ŝi vekos Franjon kaj kuros bazaron.

Dum la sekvintaj horoj ŝi sentis sin jen trankvila kaj indiferenta, jen tiel kortuŝita, ke ŝi apenaŭ povis deteni la larmojn. Ŝi decidis porti la korbon en la laŭbon kaj peti sinjoron Przyjemski, se li venos, repreni ĝin... Jen ŝi estis certa, ke li venos; jen ŝi dubis... Se li ne venos, ŝi metos la korbon trans la krado. Li aŭ iu alia baldaŭ rimarkos ĝin, kaj ĉio estos finita. Verŝajne sinjoro Przyjemski ofendiĝos kaj ne volos plu vidi ŝin; ĉio finiĝos por ĉiam... Estis momentoj, kiam ŝi pensis pri tio sen bedaŭro; se li opinias, ke ŝi deziras liajn donacojn, li ne venu plu. Ĉio estos, kia ĝi estis antaŭ tri tagoj, kiam ŝi ankoraŭ ne konis lin.

Por la patro, Franjo kaj Staĉjo tio ja estas indiferenta, kial do ĉagreniĝi?

Sed post duonhoro ŝian decidemon anstataŭis tia malĝojo, ke ŝi ne sciis plu, kion ŝi faras. Ŝi forlasis la laboron, apogis la kubutojn sur la malnova komodo kaj premis la palpebrojn per la manoj por ne plori.

Unu horon antaŭ la tagmanĝo ŝi sidiĝis en la siringa laŭbo kaj komencis kudri rapide, diligente, kun mallevita kapo. Apud ŝi staris sur la benko la fruktoplena korbo. Velkintaj folioj ekkrakis sub ies piedoj.

그녀는 즉시 그것을 부엌 찬장에 숨겨 조심스럽게 그 문을 잠 갔다. 다행히 다들 아직 자고 있다. 이제 그녀는 누이를 깨우고, 시장 보러 갈 작정이다.

그 뒤 몇 시간 동안 그녀는 차분하고 무관심한 순간도 있고, 너무 감동되어 눈물을 겨우 참는 순간도 있었다. 그녀는 결심하 길, 바구니를 정자에 가져 두고서, 프시엠스키 씨를 만나, 만일 그이가 오면, 다시 가져가 달라고 할 것이다... 이제 그녀는 한 번은 그이가 올 거라고 확신하다가, 한번은 그이가 올지 아니 올지 의심이 들기도 한다... 그이가 오지 않으면 그녀는 바구니 를 울타리 너머로 넘겨 놓을 작정이다. 그이나 다른 누군가가 곧 그게 그곳에 있음을 발견할 것이고 그러면 모든 것이 끝날 것이다. 그러면 아마 프시엠스키 씨는 기분이 상해 더는 그녀를 만나고 싶지 않을 것이다. 모든 것은 영원히 끝나게 될 것이 다... 그녀가 그 점을 아쉬워하지 않는 순간도 있다. 만일 그이 가 그녀가 이런저런 선물을 원한다고 생각하면, 그이는 더는 오 지 못할 것이다. 모든 것은 사흘 전, 그녀가 아직 그를 모르고 있었을 때와 같을 것이다.

아버지, 누이와 남동생에게는 이게 정말 무관한 일인데, 왜 내가 상심을 해?

그러나 30분이 지나자 그녀 결심은 슬픔으로 바뀌어 그녀 자 신이 무엇을 하고 있는지 몰랐다. 그녀는 자신의 하던 일을 멈 추고, 낡은 옷장에 팔꿈치를 얹고 울지 않으려고 두 손으로 눈 꺼풀을 꼭 눌렀다.

점심 한 시간 전부터 그녀는 라일락 정자에 앉아, 머리를 숙 인 채 빠르고 부지런히 바느질했다. 그녀 옆 벤치에는 그 과일 바구니가 놓여 있다. 시든 나뭇잎이 누군가의 발밑에 바스락거 렸다.

Klaro klinis la kapon ankoraŭ pli malalte kaj komencis kudri ankoraŭ pli rapide. Brulis ŝia vizaĝo, ŝvelis la palpebroj, kaj ŝi tion sentis. Tra la densa nebulo, kiu kovris ŝiajn okulojn, ŝi ne vidis plu la kudraĵon. Bone konata voĉo diris malantaŭ la krado:

— Bonan tagon, fraŭlino!

Ŝi levis la kapon, sed ŝia rigardo ne renkontis la rigardon de Przyjemski, kiu estis fiksita sur la fruktoj, formantaj piramidon apud ŝia vesto kun rozaj kaj grizaj strioj. Tenante ankoraŭ la ĉapelon super la kapo, Przyjemski senmoviĝis. La sulko sur lia frunto pliprofundiĝis kaj la lipoj kolere kuntiriĝis. Sed ĉi tio daŭris nur kelke da sekundoj, post kiuj la bela vizaĝo ree fariĝis serena, eĉ ekradiis de plezuro. Klaro neniam vidis lin tia. Sur ŝia vizaĝo paleco forigis nun la purpuron. Ŝiaj fingroj, tenantaj fadenon, malseka de ŝiaj larmoj, iom tremis. Przyjemski etendis la manon super la krado kaj diris ridetante:

— Antaŭ ĉio, vian manon, mi, petas...

Ŝi etendis ĝin al li. Ŝia malgranda mano, malglata, iom ruĝa kaj iom tremanta, restis momenton en la blanka kaj mola mano, kiu premis ĝin.

— Nun klarigu al mi, kial la korbo venis ĉi tien?

Ŝi levis la kapon kaj kuraĝe rigardante lin, respondis:

— Mi alportis ĝin, esperante renkonti vin ĉi tie.

클라로는 자신의 고개를 더 숙이고 더욱 빠르게 바느질했다. 그녀 얼굴은 화끈거리고, 눈꺼풀은 부풀어 올라 있고, 그걸 느꼈다. 그녀의 두 눈을 덮은 짙은 안개 때문에 그녀는 더는 솔기를 내려다볼 수 없다. 격자 울타리 뒤에서 익숙한 목소리가 들려왔다.

"좋은 날 되세요, 아가씨!"

그녀가 고개를 들었다. 하지만, 그녀의 장밋빛과 회색 줄무늬의 옷 옆에 피라미드 모양의 과일 바구니에 두고 있던 프시엠스키 눈길과는 서로 맞추지 못했다. 여전히 머리 저 위로 모자를 손에 든 프시엠스키는 움직이지 않고 서 있다. 이마 주름은 평소보다 더욱 깊어졌고, 입술은 화가 나서 오므렸다. 그러나 이것은 몇 초밖에 이어지지 않고, 그 뒤 그의 아름다운 얼굴은 다시 고요해졌고 즐거움으로 빛나기 시작했다. 클라로는 그런 그의 모습을 본 적이 없었다. 창백해진 그녀 얼굴은 이제 자줏빛이 없어졌다. 눈물에 젖은 채, 실을 쥐고 있는 그녀 손가락들이 살짝 떨렸다. 프시엠스키는 격자 울타리 저 위에서 자신의 손을 뻗고는 웃으며 말했다.

"무엇보다 먼저 인사하려면 손을 부탁해요…."

그녀는 자신의 손을 그에게 내밀었다. 거칠고 살짝 붉고 약간 떨리는 그녀의 작은 손이 그 손을 누르는 하얗고 부드러운 손에 잠시 머물렀다.

"지금 저 바구니가 왜 여기에 있는지 내게 설명해 주세요"

그녀는 고개를 들고 그를 용감하게 바라보며 대답했다.

"여기서 그쪽을 만나려고 내가 가져다 놓았어요.

Volu meti la korbon trans la krado kaj sendi iun, por ke li prenu ĝin.

Kaj ŝi pene etendis al li la pezan korbon.

Silente, kun perfekta malvarma sango, malrapide Przyjemski faris ĉion laŭ ŝia diro: li prenis la korbon, metis ĝin sur la herbon trans la krado kaj, rigardante ŝin per okuloj plenaj de stranga brilo, diris:

— Bone. Nun kiam la ekzekuto jam estas finita, mi dezirus ekkoni la motivojn de la dekreto.

Ŝi vidis, ke li ne sentas sin ofendita, ke kontraŭe, malgraŭ la ŝajna ŝercemo, lia voĉo sonis pli amika, ol ordinare. Ŝi do respondis sen embaraso.

— Vere, mi ne scias klarigi tion al vi... sed ne eble estas... ni neniam, nek mia patro nek mi... Oni povas ne esti riĉa, tamen...

— Sufiĉi al si, — li finis.

Longe li staris meditante, sed sen kolero; kontraŭe, la sulko sur lia frunto estis multe malpli profunda, ol ordinare. Ĝi preskaŭ malaperis.

— Kial do vi akceptas diversajn aferojn de la sinjorino... de la vidvino de la bestkuracisto?

— Tio estas tute alia afero! — diris vive Klaro. — Sinjorino Dutkiewicz amas nin, kaj ni ŝin amas! De tiuj, kiuj nin amas kaj kiujn ni amas, oni povas akcepti ĉion...

Post sekunda konsidero ŝi aldonis kun serioza mieno:

저 바구니를 저 격자 울타리 너머에 둬서, 누군가를 불러 저걸 가져가도록 하세요."

그리고 그녀는 힘들여 그 무거운 바구니를 그에게 건네주었다.

조용히, 완전 차가운 피를 가진 사람처럼, 천천히 프시엠스키는 그녀가 말한 대로 했다. 그는 바구니를 가져다가, 격자 울타리 너머 풀밭에 놓고는, 이상한 빛이 가득한 눈으로 그녀를 바라보며 말했다.

"좋아요. 이제 사형집행이 끝났으니, 그런 판결을 내린 이유는 알고 싶어요."

그녀는 그가 기분이 상하지 않았음을 알고, 반대로, 명백한 농담인 것 같아도 그의 목소리는 평소보다 더 친근하게 들렸다. 그래서 당황하지 않고 대답했다.

"정말, 어떻게 설명해야 할지 모르겠어요…. 하지만 그렇게 할 수 없었어요…. 절대로 아버지도 나도 그럴 수 없어요…. 사람이 부자가 되진 못해도…."

"그럼 되었네요." 그가 마무리했다.

오랫동안 그는 생각에 잠겨 있지만, 화는 내지 않았다. 반대로 그의 이마에 나 있는 주름은 평소보다 훨씬 그리 깊지 않았다. 그 고랑은 거의 사라졌다.

"그럼 왜 그 노부인한테서… 그 수의사 미망인한테서는 여러 가지 일을 받는가요?"

"그것은 전혀 다른 문제입니다!" 클라로가 생생하게 말했다. "두트키에비치 부인은 우리를 사랑하고, 우리도 그분을 사랑합니다! 우리를 사랑하고 또 우리가 사랑하는 사람들이 주는 것은 뭐든 우리는 받을 수 있어요…."

순간 다시 생각해 본 후, 그녀는 진지한 표정으로 이렇게 덧붙였다.

— Oni eĉ devas, ĉar alie tio signifus, ke ni opinias ilin fremdaj...

Przyjemski rigardis ŝin admire, kiel ĉielarkon; poste li demandis:

— Kaj de la fremdaj oni akceptas nenion?

— Ne! ŝi respondis, sentime lin rigardante.

— Kaj mi estas fremda por vi, diru?

— Jes, — ŝi flustris.

Momenton ankoraŭ li staris, apoginte sin al la krado, rigardante jam ne ŝin, sed ien malproksimen. Poste li rektiĝis, posteniĝis unu paŝon kaj levante la ĉapelon diris:

—Mi havos la honoron fari hodiaŭ vespere viziton al via patro!

Pasante malrapide en la ombra aleo, li pensis:

— Voilà, où la fierté va se nicher! „De tiuj, kiujn ni amas kaj kiuj nin amas, oni devas ĉion akcepti, ĉar ne akceptante ni montrus, ke ni opinias ilin fremdaj...“ Tre delikata sento, tre delikata! Kaj kia sankta kredo al la amo! Ni amas, ili amas! Voilà, où la foi se niche! Foi de bûcheron! Sed kia feliĉo estas diri ne ridante: „Ni amas, ili amas...“ Se mi povus nur unu fojon ankoraŭ en mia vivo diri: „mi amas, ŝi amas min“ kaj ne ekridi, mi kisus, mia feino, viajn piedetojn... en truaj ŝuoj.

Tre bone estis, ke Klaro ankoraŭ en la ĉeesto de Przyjemski ne batis la manplatojn de ĝojo kaj ne eksaltis.

"그래야 해요. 그렇지 않으면 그들을 낯선 사람으로 여기게 되기 때문이에요…."

프시엠스키는 마치 무지개처럼 그녀를 감탄해 바라보았다. 그런 다음 그는 물었다.

"그럼 낯선 사람한테는 아무것도 받지 않는다, 그렇나요?"

"받지 않아요!" 그녀는 두려움 없이 그를 바라보며 답했다.

"그럼 나는 아가씨 당신에게 낯선 사람이다. 그 말인가요?"

"네," 그녀가 낮은 소리로 말했다.

그는 격자 울타리에 기대어 더는 그녀를 바라보지 않고 어딘가 먼 곳을 바라보며 잠시 가만히 서 있었다. 그런 다음 그는 기댄 몸을 일으켜, 한 걸음 뒤로 물러나, 모자를 치켜들며 말했다. "그럼, 오늘 저녁에 당신 아버지를 방문하는 영광을 누리겠습니다!"

그늘진 산책로에서 천천히 걸어가면서 그는 생각했다.

'Voilà, où la fierté va se nicher!9) "우리를 사랑하고 또 우리가 사랑하는 사람들이 주는 것은 뭐든 우리는 받을 수 있어요... 그렇지 않으면 그들을 낯선 사람으로 여기게 되기 때문이에요..." 정말 섬세한 감성이네, 정말 섬세하구나! 또 사랑에 대한 얼마나 거룩한 믿음인가! 우리는 사랑해요, 그들은 사랑해요! Voilà, où la foi se niche! Foi de bûcheron!10)! 하지만 웃지도 않고 "우리는 사랑해요, 그들은 사랑해요…." 라고 말하는 것이 어떤 행복인가? 내 인생에서 단 한 번만이라도 "나는 사랑해요, 그녀가 나를 사랑해요." 라고 말하고, 또 내가 웃지도 않은 채로 있을 수 있다면, 나는 나의 요정인 당신의 작은 발에...구멍이 난 신발에 키스도 하겠어.' 매우 좋게도, 클라로는 프시엠스키 앞에서 기뻐 손뼉 치지도 않고 펄쩍 뛰지도 않았다.

---

9) *역주: (프랑스어) 이게 바로 자존심이 자리 잡을 곳이네!
10) *역주: (프랑스어) 믿음이 깃든 곳이 바로 이곳이네! 나무꾼의 믿음!

Veninte en la domon, ŝi faris tion radianta, ruĝa, spireganta.

Li do ne ofendiĝis; kontraŭe, li promesis viziti ŝian patron hodiaŭ... hodiaŭ! Kiel bona li estas, kiel bona! Ŝi komprenis la motivon de lia neatendita promeso... Kiam li koniĝos kun ŝia familio kaj komencos viziti ilin, li ĉesos esti fremda por ŝi. Li fariĝos intima konato; eble amiko. Ŝia koro estis plena de dankemo. Ŝi rememoris ĉiun vorton, kiun li diris, ĉiun movon, kiun li faris. Ekstreme amuzis ŝin la silenta kaj serioza maniero, per kiu, plenumante ŝian deziron, li prenis la korbon el ŝiaj manoj kaj metis ĝin sur la herbon trans la krado.

Ĉi tio estis tre ridinda: liaj movoj kaj gestoj, kvazaŭ li estus farinta ion solenan, kaj samtempe preskaŭ nevidebla rideto, eraranta sur liaj maldikaj, iom ŝercemaj lipoj. Belega estas lia buŝo, la okuloj kaj la frunto... Vere, ŝi ne sciis, kio estis plej bela. Eble la delikata profilo kun malkavaj brovoj, apartigitaj de la sulko plena de melankolio kaj saĝo... Ne, nek la profilo, nek la buŝo, nek la okuloj! Lia animo, ĝi sendube estis lia plej granda belaĵo! Lia nobla, alta kaj tiel malĝoja animo... Ankaŭ lia koro, kiu ne ekkoleris, ke ŝi ne akceptis la donacon, kiu, kontraŭe, ekdeziris proksimiĝi pli multe al ŝi...

집에 들어서자, 그녀는 환하게 붉어지는 손뼉을 치고, 크게 숨을 쉬며 제자리서 펄쩍 뛰어올랐다.

그래 그이는 기분이 상하지 않았어. 반대로 그이가 오늘...오늘 아버지를 방문하겠다고 약속했어! 그이가 얼마나 좋은 사람인지, 얼마나 좋은 사람인지! 그녀는 그의 예상치 못한 약속의 동기를 이해했다. 그이가 그녀 가족을 알게 되고 그들을 방문하기 시작하면, 그이는 더는 그녀에게 낯선 사람이 되지 않을 것이다. 그이는 친밀한 지인이 될 것이다. 어쩌면 친구가 될지도 그녀 마음은 감사로 가득 차 있다. 그녀는 그이가 말한 말 모두와 그이가 한 행동 하나하나를 기억했다. 그녀는 자신의 소원을 들어주는 그이가 그녀 두 손에서 그 바구니를 받아, 저 울타리 너머 풀밭에 내려다 놓는, 조용하고 진지한 태도에 엄청 즐거웠다.

이 모든 장면이 엄청 우스꽝스럽다. - 마치 엄숙한 일을 한 것처럼 그이의 움직임과 몸짓, 또 동시에 그이의, 다소 농담조의 얇은 입술에서 길을 잃고 있는 언뜻언뜻 비치는 미소가. 정말 아름다운 것은 그이의 입이요, 눈이요 이마이다. 사실 그녀는 무엇이 가장 아름다운지 몰랐다. 어쩌면 우울함과 지혜가 가득한 이마의 고랑과 구분이 되는, 튀어나온 눈썹의 섬세한 옆모습이… 아니, 옆모습도, 입도, 눈도 아니다! 그이의 영혼, 그게 의심할 바 없이 그이의 가장 큰 아름다움이다! 그이의 고상하고 높고 슬픈 영혼.. 또 그녀가 선물을 사양해도 화내지 않고 오히려 그녀에게 더욱 다가가고 싶은 그이 마음이…

Pensante pri ĉi tio, ŝi alkudris al la rando de la korsaĵo kiel neĝo blankan punteton kaj prenis el la komodo ledan zonon kun ŝtala buko.

Oni estis finantaj la tagmanĝon en la malgranda salono, kiu estis samtempe manĝoĉambro.

La plej grandan parton de la ĉambro okupis kameno el verdaj kaheloj; kelkaj dikaj traboj subtenis malaltan plafonon; de la ruĝe kolorita planko en multaj lokoj malaperis la koloraĵo; blua papero ruĝe punktita tapetis la murojn.

Inter du fenestroj, rigardantaj la verdan fazeolan kurtenon, Teofilo Wygrycz sidis sur mallarĝa kanapo kun fraksenaj brakoj, ĉe tablo kovrita per vakstolo, anstataŭanta tukon. Kelkaj teleroj kun la restoj de la manĝaĵo, karafo da akvo, salujo, vitra krenujo okupis la tablon. Apud la kontraŭa muro, sur la malnova komodo, flanke de malgranda lampo staris granda rezeda tufo en glaso. La du infanoj sidis ĉe ambaŭ flankoj de la patro; Klaro alportis el la kuirejo kelke da piroj sur telero kaj starante komencis senŝeligi unu.

— Paĉjo, mi aĉetis por vi hodiaŭ bonegajn pirojn. Franjo kaj Staĉjo ankaŭ ricevos po unu.

— Ĉu ili estas karaj? — demandis Wygrycz.

La vizaĝo de la maljuna oficisto estis longa kaj osta, ĝia koloro estis flava. La duone acida, duone apatia mieno montris homon ĥronike malsanan kaj plenumantan neamatan oficon.

이 모든 것을 생각하면서 그녀는 자신의 웃옷 가장자리에 순백색 레이스를 꿰매 붙이고, 옷장에서 강철 버클이 달린 가죽 벨트를 꺼냈다.

그들은 식사 장소이기도 한 작은 거실에서 점심을 먹고 있다.

그 방 대부분은 녹색 타일로 만든 벽난로가 차지하고 있다. 몇 개의, 두꺼운 들보가 낮은 천장을 지탱하고 있다. 붉은색 바닥 몇 군데는 색이 바래져 있다. 빨간 점이 찍힌 파란 종이 벽지가 발라져 있다.

무성한 초록색 콩 덩굴이 내다보이는 창문 2개 사이에 테오필로 비그리치는 식탁보를 대신한 유포(油布)를 덮은 테이블 옆의 물푸레나무 재료로 만든 팔걸이 달린 좁은 소파에 앉아 있다, 남긴 음식이 담긴 접시 몇 개, 물병, 소금통, 서양 고추냉이 소스가 담긴 유리병이 테이블을 차지했다. 맞은편 벽 옆, 낡은 옷장 위, 작은 램프 옆에는 유리 글라스에 커다란 목서초 덤불이 생기있게 자라고 있다. 두 아이가 아버지를 가운데 두고 앉아 있다. 클라로는 부엌에서 배 몇 개를 접시에 담아 가져와, 선 채로 배 하나의 껍질을 벗기기 시작했다.

"아빠, 오늘은 제가 아빠께 드리려고 엄청 비싼 배를 사 왔어요. 누이와 남동생도 각각 하나씩 받게 됩니다."

"그게 비싼가?" 비그리치가 물었다.

그 늙은 사무원 얼굴은 길고 앙상한 모습이고, 얼굴색은 노랗다. 씁쓸함이 반, 무심함이 반인 그 사무원 모습은 만성병을 앓고 있어, 그리 좋아하지 않는 직무를 수행하는 남자의 그것이다.

Nur la okuloj, same bierkoloraj kiel la okuloj de Klaro, kun longaj okulharoj, rigardis iafoje sub la sulkoplena frunto inteligente kaj malsevere.

La dekkvinjara knabineto, maldika, anemia blondulino, kies trajtoj similis la longan vizaĝon de la patro, ekkriis vive:

— Kial vi tiel elegante vestis vin, Klaro?

Klaro havis la ĉiutagan perkalan striitan veston; ŝi nur metis freŝan pinton ĉirkaŭ la kolo kaj la zonon kun ŝtala buko. Ŝi eĉ ne estis korekte kombita, ĉar ŝiaj malobeemaj haroj ne volis glate kuŝi kaj liberiĝis el la katenoj de la duoblaj pingloj. La nigraj bukloj flirtis senĝene sur la frunto kaj nuko. Roza levkojo ornamis la malobeulojn.

Aŭdinte la demandon de la fratino, Klaro kliniĝis por levi de la planko piran ŝelon, kaj rektiĝinte respondis trankvile:

— Elegante! Tute ne, mi nur metis freŝan pinton, ĉar la antaŭa estis jam malpura.

— Vi metis ankaŭ vian novan zonon! — daŭrigis Franjo incitete.

Ne respondante al la malpacema fratino, Klaro metis antaŭ la patro la senŝeligitan piron kaj tranĉilon kun ligna tenilo.

— Ni hodiaŭ havos gaston, paĉjo, — ŝi diris.

— Gaston? — ekmiris la maljunulo, — kiun? Eble sinjorino Dutkiewicz?... sed ŝi ne estas gasto.

Klaro, senŝeligante duan piron, daŭrigis kviete:

오로지 클라로 눈과 같은 맥주 색의 두 눈, 긴 속눈썹을 가진 그 남자의 두 눈은, 이 주름진 이마 아래서 이따금 지적이고 온화하게 바라볼 뿐이다.

마르고 빈혈이 있는, 금발의 열다섯 살 소녀는, 아버지의 긴 얼굴과 꼭 닮은 이목구비를 가지고, 생생하게 외치기 시작했다.

"클라로 언니, 왜 그렇게 언니는 지금 우아하게 옷을 챙겨 입었어?"

클라로는 매일 줄무늬가 보이는 퍼케일 평직 드레스를 입고 있다. 강철 버클이 달린 벨트를 착용하고 목 주위에 새 레이스가 달린 옷으로 갈아입었을 뿐이다. 그녀는 빗질도 제대로 하지 않았다. 그녀의 다루기 힘든 머리카락은 매끄럽게 놓이려 하지 않고, 이중 사슬의 머리핀에서 삐져나와 있다. 까만 곱슬머리가 이마와 목덜미에 아무렇지도 않게 펄럭였다. 장밋빛의 꽃무가 그 헝클어진 머리카락을 장식하고 있다.

누이가 한 질문에, 클라로는 몸을 굽혀 바닥에 떨어진 배 껍질을 집어 들고는 다시 몸을 일으키며 침착하게 답했다.

"우아하다니! 전혀 아니거든. 이전 레이스가 때가 타, 새 걸로 바꿔 달았어."

"새 벨트도 착용했네!" 누이는 시비조로 계속 말했다.

클라로는 말다툼을 벌이려는 자매에게 답도 하지 않고 껍질을 벗긴 배와 나무 손잡이 달린 칼을 아버지 앞에 내려놓았다.

"집에 오늘 손님이 오실 거예요, 아빠." 그녀가 말했다.

"손님?" 아버지가 소리쳤다. "누구? 어쩌면 두트키에비치 부인인가? 그분은 손님이 아닌데."

클라로는 두 번째 배의 껍질을 벗기며 조용히 말을 이어갔다.

— Kelke da fojoj mi renkontis en la ĝardeno sinjoron Przyjemski, la sekretarion de princo Oskaro, kaj ni longe interparolis. Hodiaŭ li diris al mi, ke li vizitos vin.

Wygrycz faris grimacon.

— Tre bezonas mi la viziton! Li malhelpos min dormi post la tagmanĝo... mi estas laca, mi ne povas paroli...

Li parolis per malĝentila tono; efektive, li sentis sin ĉiam laca kaj malkutimis la fremdajn vizaĝojn.

Franjo, spirito atakema, ekparolis vive per akra voĉo:

— Vi do, Klaro, koniĝas en la ĝardeno kun junaj viroj? Kiamaniere?...

— Silentu kaj ne ĉikanu la fratinon! — riproĉis Wygrycz Franjon, kiu tuj eksilentis.

Tiam la juna knabo en kiteleto kun leda zono komencis rapide babili.

— Mi, mi scias, kiu estas sinjoro Przyjemski. Mia kolego, la filo de la ĝardenisto de la princo, rakontis al mi, ke kun la princo venis lia sekretario, kiun li tre amas, kun kiu li ludas fortepianon kaj ian alian instrumenton... La nomo de la sekretario estas Przyjemski, li estas tre gaja, ĉiufoje kiam li estis en la ĝardeno, li ludis kun la infanoj.

— Silentu, Staĉjo! — diris Franjo, — la kavaliro de Klaro venas.

"오스카로 왕자님 비서 프시엠스키 씨를 저희 정원에서 여러 번 만나, 오래 이야기를 나눴어요. 오늘 그이가 아버지를 만나 뵈러 방문하겠다고 했어요."

비그리치는 얼굴을 찡그렸다.

"그 사람이 방문할 때 내가 꼭 있어야 한다고! 그 사람이 점심 뒤 내 낮잠 자는 것도 방해할텐데…. 너무 피곤해, 말할 기운도 없는데…."

그는 무례한 어조로 말했다. 사실 그는 항상 피곤하다. 그래서 낯선 사람을 만나는 것을 꺼렸다.

공격적인 성격의 작은 누이가 날카로운 목소리로 생생하게 말하기 시작했다.

"그럼 클라로 언니, 언니가 정원에서 젊은 남자들과 알고 지낸다고? 어떤 식으로?"

"조용해, 언니 괴롭히지 말아!" 비그리치가 둘째 딸을 꾸짖자 그 딸은 즉시 입을 닫았다.

그러자, 가죽 벨트를 겉옷 허리에 맨 어린 소년이 빠르게 이야기했다.

"나, 나는요, 프시엠스키 씨가 누구인지 알아요. 왕자궁전 정원사의 아들이 내 친구예요. 내 친구 말로는 그 왕자님을 모시고, 그분 비서가 함께 왔다고 하더라고요. 그 왕자는 자신이 매우 아끼는 그분 비서와 함께 그랜드피아노와 또 뭐라더라, 다른 악기를 연주한다고 했어요…. 그 비서 이름은 프시엠스키 라던데요. 매우 쾌활하다고 해요. 그가 정원에 나오면 아이들과 잘 놀아준다던데요."

"너도 조용하지, 스타쵸!" 누이가 말했다. "클라로 언니의 기사님이 오신다네."

Oni aŭdis malrapidajn, egalajn paŝojn malantaŭ la fazeolo; baldaŭ malfermiĝis la vestibla pordo, tiel malalta, ke la venanto devis klini la kapon. Przyjemski aperis kaj per unu rigardo ĉirkaŭprenis ĉion: la malaltan plafonon, la verdan kamenon, la ruĝajn punktojn sur la blue tapetitaj muroj, la restaĵojn de kaĉo sur la teleroj, la kvar personojn ĉe la tablo, kovrita per vakstolo, la siringan tufon sur la komodo.

Klaro kun roza nebulo sur la vangoj diris sufiĉe malestime al la patro:

— Paĉjo, sinjoro Julio Przyjemski, mia konato.

Kaj al la gasto:

— Mia patro.

Wygrycz leviĝis kaj, etendante al la vizitanto sian longan, ostan manon, diris:

— Tio estas honoro por mi... Sidiĝu, mi tre petas vin...

La ruĝo jam forlasis la vizaĝon de Klaro. Trankvile, kun delikata rideto, ŝi deprenis la telerojn de la tablo kaj portante la piramidon en la kuirejon faris al la fratino signon per la rigardo, por ke ŝi forprenu la karafon kaj la vakstolon.

Kiam la vakstolo estis forigita, oni vidis fraksenan tablon, kovritan per kotona retotuko. Staĉjo metis sur ĝin la glason kun rezedo.

Post kelkaj minutoj Klaro revenis el la kuirejo.

짙은 콩 덩굴 뒤에서 느리고 고른 발걸음 소리가 들렸다. 곧 현관 출입문이 열렸고 그 출입문은 방문객이 드나들 때는 고개를 숙여야 할 정도로 낮다. 프시엠스키는 그 집에 들어서자, 모든 것이 한눈에 들어왔다. 낮은 천장, 녹색 벽난로, 빨간 점들이 있는 파란 벽지, 접시에 아직 남은 죽, 유포가 덮힌 테이블에 앉아 있는 네 사람, 옷장 위의 라일락 한 다발.

클라로는, 두 뺨에 장밋빛 안개가 낀 채, 충분히 불만인 듯한 태도로, 아버지에게 소개했다.

"아빠, 제 지인인 율리오 프시엠스키 씨에요."

그리고 손님에게는

"제 아버지세요."

비그리치는 자리에서 일어나, 그 방문객에게 길고 앙상한 손을 내밀며 말했다.

"만나서 반갑습니다…. 이리로 좀 앉으시오…."

붉은색은 이미 클라로 얼굴에서 사라졌다. 그녀는 조용히 섬세한 미소를 지으며, 테이블에서 접시를 집어 들어, 그 삼각뿔 모양의 식기를 부엌으로 들고 가면서, 누이에게 작은 물병과 유포 천을 들고 오라고 손짓했다.

그 유포 천을 덜어내자, 그 아래에는 면직물 식탁보가 덮인 물푸레나무 탁자가 보였다. 스타쵸는 내키지 않은 듯이 목서초 덤불이 담긴 유리 글라스를 그 탁자에 올려놓았다.

몇 분 뒤, 클라로가 부엌에서 돌아왔다.

Ĝoje ŝi rimarkis, ke ŝia patro vive parolas kun la gasto. Li estas vera sorĉisto, se li sukcesis tiel rapide forigi de la vizaĝo de la laca maljunulo maldolĉon kaj apation!

Przyjemski demandis lin pri la urbo, kie la maljuna oficisto pasigis la tutan vivon, kaj tiamaniere tuj trovis aferon bone al li konatan kaj ne indiferentan. Wygrycz parolis detale pri la loĝantaro de la urbo, pri ĝiaj klasoj, pri la materiala stato de ĉiu el ili. En la komenco li parolis malrapide kaj malfacile, kiel homo kiu malkutimis interparoli, sed post kelkaj minutoj la vortoj ekfluis pli libere; en liaj malhelaj okuloj ekbrilis inteligenteco kaj la ostaj manoj akompanis la frazojn per energiaj gestoj. Klariginte al la gasto la interrilatojn de la loĝantoj, li diris:

— Malfeliĉo supre, malfeliĉo malsupre, malfeliĉo en la mezo. Multo mankas ĉie kaj al ĉiu. Sed vi pardonu min, se mi diras al vi, ke iom kulpaj pri ĉi tio estas la homoj riĉaj kaj kredeble inteligentaj, kiel princo Oskaro...

Li interrompis, ekŝanceliĝis.

— Pardonu, sinjoro, eble mi ne devus diri tion al la sekretario kaj amiko de la princo...

— Kontraŭe — interrompis lin vive Przyjemski, — kontraŭe! Mi estas amiko de la princo kaj tial tre interesas min la ĝenerala opinio pri li. Volu do klarigi al mi, pri kio li estas kulpa?

기쁘게도 그녀는 아버지가 손님과 생기있게 이야기를 하는 모습을 보았다. 저 손님이 피곤한 노인의 얼굴에서 쓸쓸함과 무관심을 저리 빨리 없애다니, 저 손님이 바로 진정한 마법사네!

프시엠스키는 그녀 아버지에게 오랜 사무원으로 평생을 보낸 도시에 대해 물었다. 이런 방식으로 즉시 그녀 아버지가 잘 알고 있고 무관심하지 않은 관심사를 찾아냈다. 비그리치는 도시 주민들과 각 계층, 각 시민의 살림살이에 대해 자세히 설명했다. 처음에 그는 대화하는 데 익숙하지 않은 사람처럼 천천히 또 어렵게 말했지만, 몇 분 뒤엔 그의 말은 더 자유롭게 흐르기 시작했다. 그의 어두운 눈에는 지성이 번쩍였고 그의 앙상한 두 손은 활기 넘치는 몸짓으로 그의 말을 따라갔다. 그는 그 손님에게 시민들의 관계를 설명한 뒤, 이렇게 말했다.

"위에도 불행, 아래에도 불행, 중간에도 불행이 있습니다. 어디서나 누구에게도 부족한 것이 많습니다. 하지만, 나를 용서하시오. 만일 내가 젊은이 당신께 이 일에 대해 좀 책임감을 느껴야 하는 이를 말씀드리자면, 오스카로 왕자님처럼, 부유하고도 믿을 수 없을 만큼 지성을 갖춘 사람들이지요…."

그는 말을 중단하고, 주저했다.

"죄송하네요, 왕자님 비서이자 친구분께 그런 말은 삼가야 했는데…."

"정반대입니다, 정반대입니다!" 프시엠스키가 그의 말을 생생하게 방해했다. "저는 왕자 자가의 친구이기에 그분에 대한 평판에 매우 관심이 많습니다. 그러면 그분이 무슨 이유로 책임감을 느껴야 하는지 설명해 주겠습니까?"

Wygrycz vive moviĝis sur la mallarĝa kanapo.

— Pri kio? — li ekkriis. — Sinjoro, tio estas klara kiel la tago! La plej granda parto de la posedaĵoj de la princo estas ĉi tie; en la urbo li havas palacon, konstruitan de lia avo aŭ praavo... Li estas tiel multepova, li havas tian nomon, ke se li vivus inter ni, se li konus nin, se li studus la ĉi tieajn aferojn kaj — homojn, ĉiu lia vorto estus helpo, lumo, ĉiu faro estus beno... Mi petas vian pardonon, sinjoro, sed vi mem postulis, ke mi parolu... La princo senĉese vojaĝas...

Przyjemski mallaŭte kontraŭparolis:

— Nur de kvin jaroj li ne estis ĉi tie. Antaŭe li loĝis sufiĉe longe en la ĉi tieaj bienoj, en la palaco...

Wygrycz, disetendante la manojn, ekkriis...

— Kvazaŭ li tute ne estus... nenia diferenco!...

Liaj okuloj brilis, sur la mallarĝaj lipoj ironio anstataŭis la maldolĉan grimacon. En liaj vortoj estis sentebla ia protesto kontraŭ ĉio suferita, eble longe kaŝata malamo kontraŭ la aristokrataro, kiu fine eksplodis, — malamo bazita sur seriozaj konsideroj.

Przyjemski sidis sur fraksena seĝo, la kapo iom klinita, la ĉapelo en la mallevita mano. Lia eleganta kaj gracia silueto, lia profilo kun delikataj brovoj kaj kun maldikaj lipoj ombritaj de ore blondaj lipharoj mirinde kontrastis la bluan ĉambron kun la verda kameno.

비그리치는 좁은 소파에서 활기차게 움직였다.

"무슨 이유라고요?" 그는 외쳤다. "젊은이, 그것은 정말 분명합니다! 왕자님의 재산 대부분이 여기에 있습니다. 그의 조부나 증조부가 지은 궁전은 시내에 있구요... 그분은 정말 능력자이시고 우리 같은 사람들과 함께 살았다면, 우리를 알고 있다면, 여기 이곳의 사물을, 또 사람들을 잘 살펴보았다면, 그분이 하시는 한마디 한마디 말씀이 도움이자 빛이 되고, 그분의 모든 행동이 축복이 될 것입니다…. 죄송합니다, 젊은이. 하지만 나더러 말을 해 달라 하니 말입니다…. 왕자님은 끊임없이 여행만 다니고 있지요…."

프시엠스키는 부드럽게 말했다.

"여기에 안 계신지는 불과 5년밖에 안 됐어요. 이전에 그분은 여기 농장에서, 또 궁전에서 꽤 충분히 오래 지냈습니다…."

비그리치는 두 손을 펼치며 외쳤다...

"전혀 그리 오래 사시지 않은 것과 마찬가지올시다…. 그 차이는 전혀 없습니다!"

그의 눈은 빛났다. 그의 좁은 입술에 생긴 씁쓸한 입맛을 아이러니가 대신 자리했다. 그의 말에서 그가 겪은 모든 것에 대한 일종의 항의, 아마 오랫동안 숨겨온 귀족 사회에 대한 증오를 느낄 수 있었는데, 그게 마침 폭발했다. 진지한 고려에 기초한 증오를.

프시엠스키는 물푸레나무 소파에 앉아 자신의 머리를 약간 숙인 채, 손에 모자를 들고 있다. 그의 늠름하고 우아한 실루엣, 섬세한 눈썹과 황금빛의, 금발 콧수염으로 그늘진 얇은 입술과 함께 하는 그의 옆모습은, 놀랍게도, 푸른 방과 녹색 벽난로와 대비되었다.

Mallevinte la okulojn li komencis malrapide paroli:

— Permesu al mi, sinjoro, iom defendi la princon... nur iom, ĉar ankaŭ mi apartenas al tiuj, kiuj tute ne kredas la perfektecon de iu ajn homo... Mi nur volus diri, ke la princo ne estas escepto. Se li havas mankojn, se li ne plenumas iajn devojn, k. t. p. li ne estas escepto. Ĉiu homo estas kreaĵo malnobla, egoista, ŝanĝema, — li flirtas sur diversaj specoj de malbono, kiel papilio sur la floroj.

Wygrycz malpacience moviĝis sur la kanapo

— Mi petas vian pardonon, — eksplodis li fine, — ne ĉiu! ne ĉiu! Ekzistas en la mondo honestaj homoj, kiuj ne flirtas sur la pekoj, kiel papilio sur la floroj. Ni ne bezonas, sinjoro, papiliojn! La tuta malbono sur la tero devenas de tiaj papilioj!... Multon oni postulas de personoj, kiuj ricevis multon! La princo multon ricevis de Dio, la homoj do kaj Dio havas rajton postuli multon de li... Pardonu, sinjoro, ke mi parolas tiamaniere pri via estro kaj amiko... Sed kiam homo longe silentis, li fine ne povas sin deteni kaj diras ĉion, kio amasiĝis en li. Mi ne volas kalumnii la princon... eble li estas la plej bona homo, sed mi demandas vin: kion li faras?

Li disetendis la ostajn, iom tremantajn manojn kaj kun brilantaj okuloj daŭrigis:

— Por kio la princo uzas sian riĉaĵon, saĝon, multepovon? Por kiu? Kiel? Kion li faras, kion?

Kaj li demande, insiste rigardis Przyjemski'n.

그는 눈을 내리깔고 천천히 말하기 시작했다.

"아버님, 제가 왕자님을 조금 옹호할 수 있게 허락해 주십시오…. 쬐끔만, 어떤 사람이라도 그 사람의 완벽함을 온전히는 믿지 않는 사람 중에 저도 속하기에… 왕자님도 예외가 아님을 말씀드리고자 합니다. 만일 그분에게 결점이 있다거나, 의무 등등을 이행하지 못했다 해도, 그분이 예외가 되면 안 됩니다. 모든 사람은 고상하지 못하고 이기적이며 변덕스러운 존재입니다. - 사람은, 꽃 위의 나비처럼, 다양한 종류의 악에 펄럭입니다."
비그리치는 조바심으로 소파 위에서 몸을 움직였다.

"내가 용서를 청합니다." 마침내 클라로 아버지가 터트렸다.
"모두가 그런 것은 아닙니다! 다 그런 것은 아닙니다! 세상에는 꽃 위의 나비처럼, 죄악에 흔들리지 않는 정직한 사람들도 있습니다. 젊은이, 우리는 나비들이 필요 없습니다. 이 세상의 모든 악은 그런 나비들에게서 나옵니다! 세상은 많이 받은 자들에게 많은 것을 요구합니다! 왕자님은 하나님으로부터 많은 것을 받았기에, 백성과 하나님은 그분께 많은 것을 요구할 권리가 있습니다…. 용서하십시오, 젊은이, 내가 젊은이 주인이자 친구분에 대해 그런 식으로 말한 것을요…. 그러나 사람이 오래 침묵해 있으면, 그때 그 사람은 결국 자신을 제지하지 못하고, 자신에게 축적된 모든 것을 말하게 됩니다. 나는 왕자님을 비방하고 싶지 않습니다. 아마도 그분은 가장 착한 사람일지도 모르지만 나는 젊은이 당신에게 묻습니다. 그분이 해놓은 게 뭐 있나요?"

그는 깡마르고 살짝 떨리는 손을 펼치며 빛나는 눈으로 말을 이어갔다.

"왕자님은 자신의 부와 지혜, 권력을 무엇을 위해 사용할까요? 누구를 위해? 어떻게? 그분은 뭘 하고 있어요, 뭘?"

그리고 그는 프시엠스키를 의심스러운 표정으로 끈질기게 바라보았다.

La lasta levis la okulojn kaj respondis malrapide:

— Nenion, tute nenion!

Aŭdinte la konfirmon de sia praveco, Wygrycz kvietiĝis. Li levis sian longan flavan fingron.

— Tamen la princo estas kristano, li naskiĝis en tiu ĉi lando kaj havas ĉi tie bienojn...

Klaro, kiu sidis ĉe la fenestro kaj ornamis blankan kufon per pinto, levis la kapon kaj duonvoĉe interrompis la patron:

— Kara patro, ŝajnas al mi, ke ni ne devas tiel severe juĝi homojn tiel diferencajn de ni, tute diferencajn...

— Diferencajn? Kial diferencajn? Ĉu vi perdis la saĝon? La sama Dio kreis ilin, la sama tero nin portas... ni ĉiuj pekas, suferas kaj mortas... Jen estas granda, plena egaleco...

— Vi estas prava, sinjoro... — konsentis Przyjemski — vi diris profundan veron... Erari, suferi kaj morti ĉiuj devas kaj ĉi tio estas granda egaleco... sed mi estus tre danka al fraŭlino Klaro, se ŝi daŭrigus la defendon de mia amiko.

Li rigardis ŝin per tiel radiantaj okuloj, ke ŝi ridetante, tute libere finis:

— Ŝajnas al mi, ke la personoj tiel riĉaj, tiel multepovaj, kiel la princo, vivantaj tute alie ol ni, havas aliajn opiniojn, bezonojn kaj kutimojn; tio, kion ni scias bone, estas ne konata de ili;

프시엠스키는 눈을 치켜뜨고 천천히 답했다.

"아무것도, 전혀 아무것도요!"

자신이 옳다는 확신을 들은 뒤, 비그리치는 마음을 진정시켰다. 그는 길고 누런 손가락을 들어 올렸다.

"하지만 왕자님은 기독교인이고, 이 나라에서 출생하셨고, 여기에 토지를 갖고 있는데…."

창가에 앉아 레이스가 달린 흰색 보닛 모자를 쓰고 있던 클라로가 고개를 들고 낮은 목소리로 아버지가 하는 말을 가로막았다.

"아버지, 우리와 너무 다른, 전혀 무관한 사람을 그렇게 가혹하게 판단하시면 안 될 것 같아요…."

"다른 사람들이라고? 왜 다른 사람인가? 네가 생각이 있나, 없나? 같은 하나님께서 그들을 창조했고, 같은 땅에 우리를 데려다 놓았는데… 우리는 모두 죄를 짓고 병 얻고 죽음을 맞지... 이게 위대한, 완전한 평등이야…."

"아버님, 말씀이 맞습니다…." 프시엠스키도 동의했다. "아버님은 심오한 진실을 말씀하셨습니다…. 사람은 죄를 짓고 고통받고 죽게 마련이며 이는 대단한 평등입니다…. 하지만 클라로 양이 제 친구 변호를 계속하게 해 준다면 매우 감사하겠습니다."

그가 더욱 빛나는 눈으로 그녀를 바라보자, 그녀는 아주 자유롭게 미소를 지으며 이렇게 끝맺었다.

"저렇게 부유하고 권력이 있는 왕자님 같은 사람들, 즉, 저희와 완전히 다르게 사는 사람들은 다른 의견이나 다른 필요, 다른 관습이 있는 것 같아요. 저희가 잘 아는 것도 그분들이 모르고 있어요.

tio, kio estas por ni devo, al ili ŝajnas superflua, aŭ tro malfacila. Eble la princo estas tre bona, sed ne scias vivi, kiel li devus laŭ nia opinio... Eble la homoj seniluziigis lin aŭ malbonigis, flatante kaj ŝajnigante diversajn aferojn pro profitemo...

La vizaĝo de Przyjemski fariĝis pli kaj pli ravoplena; li rigardis la knabinon, kiel ĉielarkon. Wygrycz, kontraŭe, aŭskultis la filinon malpacience. Kiam ŝi finis, li levis la ŝultrojn:

— Virina rezonado, sinjoro! La virinoj ĉion scias klarigi: „Ĉi tio kaj tio, tiel kaj alie!" Kutiminte dozi la kaĉon, ili ĉie vidas kaĉerojn. Mi komprenas nur unu leĝon kaj juĝon: aŭ reĝo aŭ vagulo! Aŭ la homo obeas la dian leĝon, servas al sia proksimulo kaj al ĉiu bona afero, aŭ li ne faras tion. En la unua okazo, eĉ se li estas pekulo, li ion valoras; en la dua li ne valoras eĉ la ŝnuron por lin pendigi... Mi finis.

Przyjemski respondis post momento:

— Via juĝo estas severa kaj absoluta, sed fraŭlino Klaro stariĝis inter ni, kiel anĝelo dolĉa kaj paciga, ĉar ŝi estas anĝelo.

Kaj tuj, lasinte al neniu tempon por respondo, li demandis Wygrycz'on.

— Ĉu vi ĉiam plenumis la nunan oficon, aŭ eble, kiel ŝajnas al mi, vi havis alian okupon?

Wygrycz faris maldolĉan grimacon.

저희에게 있는 의무가 뭐든 그분들에게는 불필요하거나 너무 어렵게 느낄 겁니다. 아마도 왕자님은 매우 선하지만, 저희 의견에 따르면, 그런 방식으로 살아야 하는 바를 모르고 있을거예요… 어쩌면, 사람들이 그분을 실망하게 했거나 그분을 악하게 만들었고, 그들이 자기 이익을 위해 아첨하고 여러 가지 그런 척을 했을 겁니다….."

프시엠스키의 얼굴은 점점 더 꿈으로 가득 차게 변했다. 그는 그 아가씨를 무지개처럼 바라보았다. 정반대로, 비그리치는 딸의 말을 조바심으로 들었다. 딸이 그 말을 마치자 그는 어깨를 으쓱하며 말했다.

"여성이 하는 추리입니다, 젊은이! 여자들은 모든 것을 잘 설명할 줄 압니다. '이것과 저것, 이렇게 또 저렇게!' 죽을 먹는 데 익숙해진 그 사람들은 모든 곳에 죽과 연결해 생각합니다. 내가 이해하는 법과 판단은 이렇습니다. 왕이 되거나 부랑자가 되거나! 어떤 사람은 하나님 율법에 순종하고, 이웃과 모든 선한 것을 섬깁니다. 어떤 사람은 그걸 하지 않습니다. 전자의 경우, 비록 그가 죄인이라 할지라도 그에게는 가치가 있습니다. 두 번째 경우에는 그를 매달아줄 밧줄조차 아깝지요... 내 말은 이렇게 끝냅니다."

프시엠스키는 잠시 뒤, 이렇게 대답했다.

"아버님 판단은 가혹하고 절대적이지만, 클라로 양은, 우리 두 사람 사이에서 다정하고 평화롭게 하는 천사처럼 서 있습니다. 클라로 양이 바로 천사이니까요."

그리고 즉시 아무에게도 답할 시간도 주지 않고 그가 비그리치에게 물었다.

"현재 하시는 직무를 늘 맡아 오셨나요? 아니면 제가 보기에는 다른 직무에도 종사하신 것 같은데요?"

비그리치는 쓸쓸한 얼굴을 했다.

— Ĉiam, sinjoro, ĉiam, de mia dekoka jaro mi laboras en oficejoj. Mi estas filo de metiisto, mia patro posedis ĉi tie dometon, kie li laboris. Li edukis min en lernejo, mi finis kvinklasan kurson kaj fariĝis oficisto. Sed kial vi demandas min pri ĉi tio?

Przyjemski pripensis momenton kaj diris kun delikata saluto:

— Mi malkaŝe konfesos al vi, ke mi trovis pensojn kaj parolmanieron... pli altajn...

— Ol vi esperis! — finis Wygrycz kun ironia rideto. — Supozeble en la domo de via estro kaj amiko vi ne ofte renkontis malriĉajn homojn. La malriĉeco, sinjoro, ne ĉiam estas sinonimo de malsaĝeco... Ha, ha, ha!...

Wygrycz ŝajnigis sarkasman ridon, sed oni povis rimarki, ke la opinio de la gasto flatis kaj ĝojigis lin.

— Tamen, — li daŭrigis, — koncerne min, en mia vivo ekzistis favoraj cirkonstancoj. Mi edziĝis kun virino instruita kaj plej bona, plej bona! Ŝi estis instruistino, kiam ni ekamis unu la alian. Ŝi elektis min, kvankam ŝi povis edziniĝi kun pli riĉa homo. Sed ŝi ne bedaŭris tion. Ni estis feliĉaj. Ŝi estis pli instruita ol mi, sed mi estis sufiĉe prudenta por profiti ŝian spiritan superecon. Post la ofica laboro, dum la liberaj horoj ni legis kune, aŭ ŝi ludis por mi fortepianon, ĉar ŝi havis muzikan talenton...

"젊은이, 나는 열여덟 살 때부터 사무를 봐 왔어요. 수공업자 아들로 태어났고, 부친은 여기 일터이자 작은 집을 소유하고 있었죠. 부친은 당시 나를 학교로 보내 교육했고, 나는 5학년 과정을 마치고 사무원으로 일했어요. 그런데 이걸 왜 나한테 묻는 거요?"

프시엠스키는 잠시 생각하고나서, 섬세한 인사로 말했다.

"저는 아버님 생각과 말씀하시는 방식이… 더 차원 높다는 것을 알아냈다고 숨김없이 고백하겠습니다…"

"젊은이가 생각한 것보다라는 말이지요!" 비그리치는 아이러니한 미소를 지으며 결론을 내렸다. "아마도 젊은이의 상사이자 그 친구분의 궁전에서는 가난한 사람들을 자주 만나지 않았을 것입니다. 젊은이, 가난하다는 것이 언제나 곧 어리석다는 말과 동의어는 아닙니다…. 하, 하, 하!"

비그리치는, 비꼬는 듯이 웃어도, 그 손님이 자신의 의견으로 그의 말에 동조하고 기쁘게 한다는 것을 누구나 알 수 있다.

"허나" 그는 계속 말했다. "내 삶에서 호의적인 환경으로 살아온 때도 있었어요. 나는 교육을 많이 받은, 정말 착한, 정말 착한 여성과 결혼했지요! 우리가 서로 사랑에 빠졌을 때, 그녀는 교사였지요. 그녀는, 더 부유한 사람과 결혼할 수도 있었지만, 나를 택했어요. 그래도 그녀는 그 결혼을 후회하지 않았지요. 우리 부부는 행복했어요. 그녀는 나보다 교육을 더 많이 받았지만, 나는 그녀의 영적 우월성을 활용할 만큼 분별력이 있었어요. 일과를 끝낸 자유 시간에는 우리가 함께 책을 읽거나, 아내가 음악적 재능이 있었기에 나를 위해 그랜드피아노를 연주했지요….

Mi posedas, sinjoro, bonajn, sanktajn rememoraĵojn de mia vivo, kaj en la alia mondo min atendas mia sanktulino, kun kiu mi dezirus ree esti kiel eble plej baldaŭ, se ŝi ne estus lasinta al mi la infanojn. Nur por ili mi vivas. Mi ŝuldas multon, sinjoro, al ĉi tiu virino, kun kiu mi vivis kune dudek tri jarojn kiel dudek tri tagojn... Ankaŭ ŝi, sur sia morta lito, tute konscia, dankis min, antaŭ ol ŝi spiris la lastan spiron... Ni disiĝis en paco kaj amo, same ni renkontos unu la alian antaŭ Dio...

Per la fino de sia osta fingro li viŝis la malsekajn palpebrojn kaj eksilentis.

Przyjemski ankaŭ silentis, mallevinte la kapon. Post momento li diris medite:

— Ekzistas do sur la tero tiaj poemoj — tiaj unuiĝoj kaj rememoraĵoj...

Wygrycz kuntiris ironie la lipojn.

— Se vi ne scias tion de via propra sperto, se vi eĉ ne vidis tiajn poemojn, tiam... pardonu mian malkaŝemon: vi estas tre kompatinda...

Przyjemski levis la kapon per subita movo kaj ekrigardis la oficiston kun mirego, kiu tuj malaperis.

— Jes, jes... — li diris, — malriĉeco kaj riĉeco havas tute malsaman signifon... tute malsaman...

Li turnis sin al Klaro, kliniĝinta al la muslino kuŝanta sur ŝiaj genuoj.

나는, 젊은이, 내 인생에서 좋고 신성한 추억을 많이 가지고 있어요. 또 저 세상에 성녀가 된 그녀는, 나에게 아이들을 남겨두지 않았다면, 나는 가능한 한 빨리 그녀를 만나고 싶고, 그녀도 함께 재회하고 싶은 나를 기다리고 있을 겁니다. 오직 이 자식들을 위해서만 나는 삽니다. 나는 23년, 그러니까 그 세월이 23일처럼 함께 살았던 그 여성에게 많은 빚을 지고 있어요. 그녀 역시 임종 직전, 숨을 거두기 전에, 온전한 의식으로, 내게 감사하다고 말했지요…. 우리는 평화와 사랑으로 헤어졌으니 마찬가지로 나중에 하나님 앞에 서로 다시 만날 겁니다….”

그는 앙상한 손가락 끝으로 자신의 젖은 눈꺼풀을 닦고 침묵했다.

프시옘스키도 고개를 숙인 채 마찬가지로 침묵했다. 잠시 뒤, 그는 신중하게 말했다.

“그래서 세상에 그런 시詩적인 삶이, 그런 결합과 추억이 많이 있습니다….”

비그리치는 아이러니하게 입술을 오므렸다.

“젊은이, 젊은이가 경험을 통해 그것을 아직 모른다면, 그런 시적인 삶을 아직 보지 못했다면… 내가 솔직함을 용서하세요. 젊은이, 당신은 정말 불쌍합니다….”

프시옘스키는 갑작스러운 움직임으로 고개를 들고, 놀란 표정으로 그 사무원을 바라보았다. 하지만 그 놀람은 즉시 사라졌다.

“네, 네….” 그는 말했다.

“가난과 부유함은 전혀 다른 의미입니다…. 완전 다릅니다….”

그는 무릎의 무명 치마에 고개를 숙이고 있는 클라로에게 몸을 향했다.

— Mi ankoraŭ ne redonas al vi la libron, kiun vi pruntis al mi, mi eĉ petas alian de la sama speco, se vi posedas ian...

— Ĉu vi deziras poezion? — ŝi demandis, levante la kapon.

— Jes, ĉar mi konas ĝin malmulte kaj supraĵe...

Wygrycz intermetis:

— Mia edzino lasis al la filinoj malgrandan bibliotekon, kiu enhavas ankaŭ verkojn de poezio.

Kaj li aldonis afable:

— Klaro, montru al la sinjoro nian bibliotekon, eble li elektos ion...

— Ĝi estas en mia ĉambro — diris Klaro leviĝante.

Dio! ĉu eblas nomi ĉambro ĉi tiun kaĝeton? Ree verda kameno, unu fenestro, du dikaj traboj super la kapo, lito, tablo, du seĝoj kaj ruĝa ŝranko vitrita! Kia ĉambro, tia biblioteko. Kelke da bretoj, ducent volumoj en grizaj, malnovaj bindaĵoj. Przyjemski staris tuj malantaŭ Klaro, kiu tuŝante ĉiun libron per la fingro, diris la nomon de la aŭtoro kaj titolon de la verko.

— „En Svisujo." Ĉu vi deziras ĝin?

— Bone. Kiom da fojoj mi estis en tiu lando!... Mi konas la poemon; ŝajnas al mi, ke mi ĝin konas, sed eble ne...

Kiam ŝi etendis al li la libron en eluzita bindaĵo, kredeble legitan multe, multe da fojoj, li momenton tenis ŝian manon en sia kaj flustris:

"아가씨가 내게 빌려준 책을 아직 돌려주지 않았지만, 혹시 같은 분야의 다른 책이 있으면 한 권 빌려 달라고 청하고 싶은데요…."

"시집을 원하세요?" 그녀는 고개를 들며 물었다.

"그렇습니다, 제가 아는 바는 적고, 피상적으로 알고 있어서…."

비그리치가 끼어들었다.

"저 아이 엄마가 딸들을 위해 작은 서재를 남겼는데, 그 책 중에는 시집도 있어요."

그리고 그는 친절하게 이렇게 덧붙였다.

"클라로, 이 젊은이께 우리 서재를 보여주게. 아마 그분이 무슨 책을 고를지도…."

"그 서재가 제 방에 있어요." 클라로가 자리에서 일어나며 말했다.

하나님! 이 작은 새장 같은 공간을 방이라고 부를 수 있나요? 다시 녹색 벽난로와 창문 1개, 머리 저 위로 두꺼운 들보 2개, 침대, 탁자, 의자 2개, 유리 달린 빨간색 찬장! 그 방에 맞는 그런 서재다. 선반 몇 개, 회색으로 된 낡은 책 200권. 프시엠스키는 곧장 클라로 바로 뒤에 섰고, 클라로는 손가락으로 책을 일일이 만지며, 작가 이름과 작품 제목을 말했다.

"『스위스에서』. 이 책이 좋겠어요?"

"좋겠네요. 내가 그 나라에 정말 자주 갔지요!... 나는 그 시집에 대해 알고 있습니다. 알 것 같기도 하고, 아닐 수도 있겠네요…."

아마 많이, 수많이 읽었기에 장정이 낡은 그 책을 그녀가 그에게 건넸을 때, 그는 잠시 그녀 손을 자신의 손으로 잡고 속삭였다.

— Dankon, ke vi defendis mian amikon... Dankon, ke vi ekzistas...

Ili revenis en la manĝoĉambron. Przyjemski ekstaris kun la ĉapelo en la mano antaŭ la oficisto. Ŝajnis, ke li volas diri ion, sed li ŝanceliĝas kaj pripensas.

— Mi dezirus — li diris post momento, — demandi kaj peti vin pri io kaj mi anticipe petas vian pardonon, se mi — estas maldiskreta...

— Mi petas vin — diris Wygrycz, — parolu malkaŝe. Ni ja estas najbaroj, kaj se mi povas esti utila al vi...

— Kontraŭe — interrompis Przyjemski, — mi volis proponi al vi miajn servojn...

Li apogis pli forte la manon al la tablo kaj daŭrigis per pli mola, velura voĉo:

— Jena estas la afero: vi ne fartas bone, vi havas du junajn infanojn, kiuj bezonas ankoraŭ multon, multon, kaj viaj rimedoj por ekzistado estas iom... nesufiĉaj. Aliflanke mi havas influon, grandan influon al princo Oskaro, tre multepova, tre riĉa homo... Mi estas certa, ke kiam mi klarigos al li la aferon, la princo volonte, plezure faros por vi ĉion eblan... Li povos faciligi la edukadon de ĉi tiu juna knabo kaj zorgi pri lia estonteco... En siaj bienoj li facile trovos por vi oficon, malpli lacigan ol la via kaj pli profitan... Se vi permesus al mi paroli pri ĉi tio kun la princo...

"내 친구를 변호해 줘 감사합니다… 아가씨가 있어 감사합니다…"

그들은 다시 식사하는 공간으로 돌아왔다. 프시엠스키는 모자를 손에 들고, 사무원인 아버지 앞에 잠시 섰다. 그는 뭔가 말하고 싶은 것 같지만, 머뭇거리며 생각을 거듭했다.

"저는" 잠시 뒤, 그가 말했다. "뭔가에 대해 아버님께 물어보고 또 요청한다고 해서, 또 만일 그게 저더러 ― 분별심이 없다고 하면, 미리 양해를 구합니다…"

"사양치 마시오." 비그리치가 말했다. "숨김없이 말씀해 주십시오. 정말 우리는 이웃이고, 젊은이께 내가 도움이 될 수도 있다면야…"

"정반대입니다," 프시엠스키가 말을 가로막았다. "저는 아버님께 아버님이 하실만한 업무를 제공하고 싶습니다…"

그는 탁자에 손을 더 세게 얹고는, 더 말랑하고 부드러운 목소리로 계속했다.

"제가 말씀드리고자 하는 것은 이렇습니다. 아버님은 건강이 좋지 않습니다. 아버님에게는 아직 많은 것이 필요한 나이 어린 자녀가 둘이나 있고, 생계를 이어갈 수단도 약간… 부족합니다. 반면에 저는 매우 강력하고 매우 부유한 오스카로 왕자님께 영향력을, 큰 영향력을 가지고 있습니다…. 저는 이 문제를 그분께 설명하면, 그 왕자님은 기꺼이 기쁨으로 가능한 모든 일을 해주실 것이라고 확신합니다…. 그분은 이 소년의 교육에도 도울 수 있고, 저 소년의 미래를 돌볼 수 있습니다…. 그분은 자신의 영지에서 아버님을 위해 지금의 일보다 덜 피곤하고 더 이득이 되는 업무를 맡길 수 있습니다…. 만약 아버님이 이 문제에 대해 왕자님과 이야기할 수 있게 허락해 주신다면…."

Li klinis la kapon, li atendis. Wygrycz aŭskultis en la komenco scivole, poste li mallevis la kapon. Kiam Przyjemski ĉesis paroli, li levis la okulojn, ektusetis kaj respondis:

— Mi tre dankas vin por viaj bonaj intencoj, sed mi ne volas profiti la favoron de la princo... ne, mi ne volas...

— Kial? — Przyjemski demandis.

— Ĉar oni devas kutimi akcepti favorojn de multepovuloj...

Mi ne kutimis. Ĉu mia ofico estis profita, ĉu ne profita, mi ĉiam estis mia servisto kaj mia estro.

Przyjemski levis la kapon. Kolera flamo ekbrilis en liaj bluaj okuloj. Li komencis paroli, pli forte ol ordinare skandante la vortojn:

— Vi vidas!... Vi mem vidas!... Vi riproĉas al la princo, ke li estas senutila por la aliaj, kaj kiam aperas okazo esti utila, oni ne akceptas liajn servojn...

— Certe, sinjoro, certe! — respondis Wygrycz, kies okuloj ankaŭ brilis. — Se mi scius, ke la princo helpas min kiel frato fraton, kiel homo pli favorata de Dio alian malpli favoratan sed egalan al li, mi akceptus, sendube mi akceptus kaj estus danka... Sed la princo ĵetus al mi sian bonfaron kiel oston al hundo kaj mi, kvankam ne riĉa, mi ne levas la ostojn de la tero...

Delikata ruĝo aperis sur la vangoj de Przyjemski.

그는 고개를 숙이고 기다렸다. 비그리치는 처음에는 호기심을 갖고 귀를 기울이다가, 나중에는 고개를 숙였다. 프시엠스키가 말을 멈췄을 때, 그는 고개를 들고 기침을 한번 하며 답했다.

"젊은이, 당신의 좋은 의도에 진심으로 감사드립니다만, 왕자님의 호의에서 득을 보고 싶지는 않아요...안 됩니다, 나는 그러고 싶지 않아요….."

"왜인가요?" 프시엠스키가 물었다.

"권력자 호의를 받는 데 익숙해야 하기에…. 나는 그것에 익숙하지 않아요. 내 사무실에서 하는 일이 수익성이 있든 없든, 내가 늘 나의 하인이자 주인으로 살아왔으니까요."

프시엠스키는 고개를 들었다. 그의 푸른 눈에 성난 불꽃이 번쩍였다. 그는 평소보다 더 큰 소리로 또박또박 말하기 시작했다.

"아버님은 보고 있습니다!... 직접 보고 있습니다!... 아버님은 왕자님이 타인들에게 쓸모없다고 비난하면서도, 도움이 될 기회가 생겼을 때는 아버님은 그 왕자님 업무를 맡지 않겠다고 하십니다….."

"그럼요, 젊은이, 그렇죠!" 비그리치가 답했고, 그의 눈도 빛났다. "만일 왕자님이 나를, 형제가 형제를 대하듯이, 하나님으로부터 더 은총을 받는 이가 덜 은총을 받아도 동등한 사람에게 하듯이, 나를 도와주신다는 것을 내가 안다면, 나는 기꺼이 받아들이고 감사할 것입니다…. 하지만, 왕자님은 나에게 자신의 선의를, 개에게 뼈다귀를 주듯이, 던진다면 나는 부자는 아니어도 저 땅에 놓인 뼈다귀를 줍지 않을 겁니다…."

프시엠스키의 뺨에 섬세한 홍조가 나타났다.

— Tio estas antaŭjuĝo — li diris, — fanatismo... la princo ne estas tia, kia vi lin opinias...

Wygrycz ree disetendis la manojn.

— Mi ne scias, sinjoro, mi ne scias! Neniu ĉi tie povas tion scii, ĉar neniu konas la princon!

— Ĉi tio estas la kerno de nia disputo — konkludis Przyjemski kaj etendis al la maljunulo sian blankan, longan manon.

— Mi petas vian permeson iam reveni...

— Mi petas, mi petas vin — konsentis tre afable Wygrycz.

— Ĉu vi intencas longe resti ĉi tie kun la princo?

— Ne longe. Ni baldaŭ forveturos en la bienojn de la princo, sed ni eble revenos kaj pasigos ĉi tie la tutan vintron...

Dirante la lastajn vortojn, li rigardis Klaron; ŝiaj okuloj estis turnitaj ne al li, sed al la patro. Tuj kiam la pordo fermiĝis post la gasto, ŝi ĵetis sin al la kolo de la maljunulo.

— Paĉjo mia amata, mia kara, mia ora, kiel bone vi faris!

Ŝi kisis liajn manojn kaj vangojn. Wygrycz turnis for la kapon, grimacante.

— Sufiĉe... donu al mi la noktan surtuton kaj la pantoflojn. Mi kuŝiĝos... la vizito lacigis min...

Klaro kuris por la postulitaj aferoj kaj en la pordo ŝi aŭdis la akran voĉon de la fratino:

— Vi scias paĉjo, ke sinjoro Przyjemski enamiĝis?

"그건 편견입니다." 그는 이렇게 말했다. "편향된 생각입니다… 왕자님은 아버님이 생각하는 그런 사람이 아닙니다…"

비그리치는 다시 손을 펼쳤다.

"나는 모르겠네요. 젊은이, 모르겠어요! 여기 있는 누구도 그것을 알 수 없습니다. 왜냐하면, 아무도 그 왕자님을 모르기 때문입니다!"

"이것이 우리 논쟁의 핵심이네요." 프시엠스키는 결론을 내리고 자신의 하얗고 긴 손을 그 노인에게 뻗었다.

"언젠가 다시 여기 와도 되는지 허락을 구합니다…"

"그러시오, 그렇게 하시오." 비그리치는 매우 친절하게 동의했다.

"여기서 왕자님과는 오래 머물 생각인가요?"

"오래는 아닐 겁니다. 우리는 곧 왕자님 영지로 떠날 예정이지만, 우리는 아마 돌아와, 겨우내 이곳에서 보낼 수도 있습니다."

마지막 말을 하고, 그는 클라로를 바라보았다. 그녀 눈은 그를 향해 있지 않고 아버지에게 향해 있었다. 그 손님 뒤에서 출입문이 닫히자마자, 그녀는 노인인 아버지 목에 몸을 던졌다.

"사랑하는 아빠, 나의 금쪽같은 아빠, 정말 잘하셨어요!"

그녀는 아버지 손과 뺨에 키스했다. 비그리치는, 얼굴을 찡그린 채, 고개를 돌렸다.

"그럼 되었네…. 잠옷과 슬리퍼를 주게. 내가 누워야 하겠어... 이런 방문은 나를 피곤하게 해…."

클라로는 아버지가 요청한 물건을 찾으러 달려갔고, 출입문에서 그녀는 누이의 날카로운 목소리를 들었다.

"아빠, 아빠는 프시엠스키 씨가 사랑에 빠졌다는 거 아시죠?

Ĉu vi rimarkis, kiamaniere li diris: „Ĉar fraŭlino Klaro estas anĝelo" Kaj kiel li ŝin rigardis!

— En via aĝo oni ne konkludas pri tiaj aferoj... — diris severe la patro...

— Mi ne estas plu infano — respondis fiere Franjo, — kaj se Klaro amindumas junajn virojn, mi povas almenaŭ scii, ke ŝi faras tion...

Klaro donis al la patro la surtuton per tremantaj manoj.

Wygrycz sin turnis al Franjo:

— Haltigu vian langon kaj ĉesu turmenti vian fratinon. Petu Dion, ke vi ŝin similu. Prava estis la sinjoro, kiam li nomis ŝin anĝelo.

Li eliris, frapante per la pantofloj.

Franjo metis tukon sur la kapon kaj kuris en la kudrejon. Klaro alvokis la fraton.

— Alportu la kajeron, ni ripetos vian aritmetikan lecionon.

La knabo, bela kaj rondvanga, kun vivplenaj okuloj, ĉirkaŭprenis ŝin kaj komencis kolerete:

— Malbona estas Franjo! Ŝi ĉiam incitetas kaj ĉikanas vin!

Klaro, karesante la frunton kaj la harojn de la knabo, respondis:

— Ne diru tion, ŝi havas bonan koron kaj amas nin ĉiujn; ŝi nur estas tro viva, ni devas pardoni tion al ŝi...

Premante ŝin en siaj brakoj, la knabo daŭrigis:

그가 무슨 방식으로 말했는지 알아보셨지요? '클라로 양이 천사라서요' 라고요. 또 그가 언니를 어떻게 바라보는지 보셨지요!"

"네 나이에는 그런 결론을 내리지 않거든…." 아버지가 엄하게 꾸짖었다...

"나는 더는 어린아이가 아니에요." 둘째 딸이 자랑스럽게 답했다. "그리고 클라로 언니가 젊은 남자들과 사랑을 나눈다면, 적어도 언니는 그렇게 한다는 정도는 나도 알아요…."

클라로는 떨리는 두 손으로 아버지께 잠옷을 드렸다.

비그리치는 둘째 딸에게 몸을 돌려 이렇게 말했다.

"그 입 다물어라. 네 언니를 괴롭히지 마라. 네가 언니를 좀 닮으라고 하나님께 부탁드려야겠다. 오, 그 젊은이가 네 언니를 천사라고 부른 것은 옳았어."

그는 슬리퍼 소리를 내며 나갔다

둘째 딸은 머리에 천을 씌우고는 재봉실로 달려갔다. 클라로는 남동생을 불렀다.

"그 공책 가져와라, 산수 공부를 되풀이해 보자."

잘생기고 뺨이 둥글며 생기 넘치는 눈을 가진 소년은 큰 누나를 껴안고 화를 내며 말했다.

"나쁜 사람은 둘째 누나예요! 저 누나는 항상 큰 누나를 놀리고 괴롭히네!"

클라로는 남동생의 이마와 머리카락을 쓰다듬으며 이렇게 답했다.

"그렇게 말하지 마. 저 둘째 누나도 좋은 마음을 갖고서, 우리 모두를 사랑하지. 저 누나가 너무 생기가 있거든, 그 점에 대해 우리가 누나를 용서해야지…."

남동생은 자신의 두 팔로 누나를 안고는 계속 말했다.

— Vi estas pli bona, pli bona... vi estas patrinjo de mi, de Franjo, de paĉjo, de ni ĉiuj!...

Klaro ekridetis kaj dufoje kisis la ruĝvangan knabon.

"큰 누나가 더 착해, 더 착해... 큰 누나는, 나와 둘째 누나, 아빠, 우리 모두의 어머니야!"

클라로는 뺨이 붉은 소년에게 미소를 지으며 두 번 키스했다.

Ĉapitro IV

En la sekvinta tago, kiam Wygrycz en nokta surtuto kaj pantofloj faris sian sieston, Franjo estis ĉe la kudrejo kaj Klaro kun la frato sidis ĉe libroj kaj kajeroj, iu frapis delikate la pordon. Staĉjo salte leviĝis de la seĝo kaj malfermis la pordon; Klaro, levante la okulojn de la kajero, ruĝiĝis purpure.

— Eĉ se mi estus trudema, ĉi tiu rolo estas malagrabla kaj ridinda — komencis Przyjemski jam en la pordo, — mi venas ion proponi al vi. Sed antaŭe, bonan tagon! aŭ pli ĝuste: bonan vesperon! kaj demando: kial vi ne estis hodiaŭ en via laŭbo?

— Mi ne havis tempon; mi estis ĉe sinjorino Dutkiewicz, prenis de ŝi kufojn kaj petis ŝian konsilon pri mastruma afero.

— Ah! ĉi tiu sinjorino Dutkiewicz!... Kiom da tempo ŝi al vi okupas, kiom da ĉagreno ŝi kaŭzas al mi!...

— Al vi? ĉagrenon?

— Jes, jam la duan fojon mi malesperis, ne trovinte vin en la laŭbo en la kutima horo.

제4장

　다음 날, 잠옷과 슬리퍼를 신은 채 비그리치가 낮잠 자고 있고, 누이 프라뇨는 재봉소에 가 있고, 클라로는 남동생과 함께 책과 공책을 들고 앉아 있을 때, 누군가가 조심스럽게 출입문을 두드렸다. 남동생 스타쵸는 의자에서 벌떡 일어나 출입문을 열었다. 클라로는 공책에서 눈을 떼어, 올려다보더니, 그새 그녀 얼굴은 자줏빛으로 붉혔다.

　"내가 억지로 한다 해도, 이 역할은 불쾌하고 우스꽝스럽습니다." 프시엠스키가 이미 그녀 집 출입문 앞에서 말을 시작했다. "나는 아가씨에게 뭔가를 제안하러 왔습니다. 하지만 먼저, 낮 인사로 안녕하세요! 아니면 정확히 저녁 인사로 안녕하세요라고 인사를 합니다! 또 질문 있습니다. 오늘은 왜 정자에 나오지 않았습니까?"

　"시간이 없었어요. 두트키에비치 부인 댁에 가 있었고 그분 모자 몇 개를 받고, 가사도 의논드리려고요."

　"아! 그 두트키에비치 부인요!... 그분이 아가씨 시간을 얼마나 뺏어가는지, 그분이 나에게 얼마나 많은 슬픔을 가져다 주는지!"

　"그쪽에게요? 슬픔을요?"

　"네, 평소라면 정자에 있을 아가씨를 두 번이나 못 만나니 벌써 마음이 상했지요."

Ili interŝanĝis vortojn kaj sekĉese rigardis sin reciproke, kvazaŭ iliaj rigardoj ne povus forlasi unu la alian.

— Sidiĝu, sinjoro, mi petas vin.

— Mi tute ne intencas sidiĝi kaj mi venis, por ke vi ankaŭ ne sidu ĉi tie. Rigardu.

Li montris la libron pruntitan hieraŭ, kiun li ĵetis en la ĉapelon, kiam li venis en la ĉambron.

— Jen estas mia propono: Ni iru en la laŭbon kaj ni legu kune „En Svisujo" Prenu vian laboraĵon, vi kudros kiam mi voĉe legos. Ĉu vi konsentas?

— Ah, tio estus rava!

Sed ŝi ekrigardis Staĉjon.

— Mi devas ripeti la lecionojn kun li...

La knabo, kiu scivole aŭskultis la interparoladon, ĉirkaŭprenis ŝin kaj komencis peti:

— Iru, Klaro, mia kara, mia ora, iru, se vi volas... Mi lernos ĉion. Granda afero la geografio! Mi lernos parkere kaj vespere mi ripetos al vi ĉion. Vi vidos, mi scios ĝin, kiel Patro nia...

— Certe, Staĉjo?

— Certe! Kiel mi amas paĉjon! Kiel mi amas vin!

Ĝojo ekbrilis sur ŝia vizaĝo, tamen ŝi flustris ŝanceliĝante:

— Sed la temaŝino?

— Mi boligos! Granda afero la temaŝino! — kriis Staĉjo kun fervoro.

— Kaj kiam la patro vekiĝos, vi alvokos min?

그 둘은 그렇게 말을 주고받으며, 서로의 시선을 서로에게서 떠나보내지 않으려는 듯이 끊임없이 서로를 바라보았다.

"여기 좀 앉으세요, 프시엠스키 씨."

"나는 앉을 생각이 전혀 없고요, 그쪽도 여기 이렇게 앉아 있지 않게 하려고 왔어요. 이것 좀 봐요."

그는 방에 들어서면서, 자신의 모자 속에 던져두었던 어제 빌린 책을 가리켰다.

"이제 내 제안은요, 우리가 저 정자로 가서, 시집 『스위스에서』를 함께 읽읍시다. 그쪽의 바느질거리를 가져갑시다. 내가 소리 내어 읽을 때, 그쪽은 바느질하면 되지요. 동의하나요?"

"아, 그게 참 매력적이네요!"

하지만 그녀는 남동생 스타쵸를 한번 바라보았다.

"저 녀석과 복습해야 하는데…."

그 대화를 궁금해하며 듣고 있던 소년은 누나를 끌어안으며 청했다.

"가요, 클라로 누님, 나의 금쪽같은 누님, 누님이 가고 싶으면 가요. 내가 모든 것을 혼자서 배울게요. 지리학 과목이 큰 문제이거든요! 나는 성심으로 외워서 밤에 모든 것을 누님에게 반복할게요. 누나가 보다시피, 나는 그걸 할 줄 알아요. 우리 아버지처럼…." "분명히 그렇게 할 거지, 스타쵸?"

"분명하지요! 내가 아빠를 얼마나 사랑하는지! 또 누나를 얼마나 사랑하는지!"

기쁨이 얼굴에 번쩍였으나, 그녀는 마음 다잡지 못하고 작은 소리로 말했다. "그런데 차 끓이는 기계는?"

"내가 끓일게요! 차 끓이는 기계도 중요하지요!" 스타쵸가 열정적으로 소리쳤어요.

"그러고 아빠가 깨시면 나를 불러 줄래?"

— Mi alvokos! Granda afero alvoki! Kaj kiam Franjo revenos, mi ankaŭ vokos, por ke ŝi ne vidu vin kun la sinjoro, ĉar se ŝi vidos, ŝi ree priridos vin.

Klaro fermis al li la buŝon per kiso. Post du minutoj ŝi iris kun Przyjemski tra la ĝardeno, tenante en la mano la korbon plena de muslino kaj pintoj.

— Vi havas ĉarman fraton — diris Przyjemski. — Mi volus kisi lin pro tio, ke li liberigis vin de la... servado. Ĉar vi estas servistino de via tuta familio... sed kion diris la kara infano? Se via fratino vidos vin kun mi, ŝi vin priridos?

Granda estis la konfuzo de Klaro. Feliĉe, en la sama momento ŝi rimarkis en la najbara parko tiel belan ludon de koloroj, ke ŝi ekkriis kun entuziasmo.

— Rigardu, sinjoro, tie en la angulo de la parko, kiel belege la suno sternas siajn radiojn en la malluma aleo... kvazaŭ tapiŝon el oraj moviĝantaj fadenoj...

— Ĉu vi estis iam en la parko?

— Ne, neniam, mi ja ne povis...

— Jen bona ideo... kial mi antaŭe ne pensis pri ĝi? Ni vizitu kune la parkon de la princo!

La propono timigis ŝin.

— Oh, ne! — ŝi ekkriis, — estas malpermesite...

Li ekridis preskaŭ laŭte.

"내가 부를게요! 부르는 일도 중요한 일! 그리고 둘째 누이가 돌아오면, 내가 다시 큰 누나를 불러, 큰 누나와 저 신사분이 함께 있는 모습을 그 누나가 보지 않도록 할게요. 그 누나가 두 분을 보면, 또다시 큰 누나를 비난할 거야."

클라로는 키스로 남동생 입을 다물게 했다. 2분 후 그녀는, 옥양목 직물과 레이스들로 가득한 바구니를 손에 들고, 프시엠스키와 함께 정원을 지나 나섰다.

"아가씨, 당신에게는 매력적인 남동생이 있네요." 프시엠스키가 말했다. "당신을… 그런 수업 업무에서 해방하도록 도와준 그에게 키스라도 하고 싶어요. 당신이 온 가족을 돌보는 여성이니까요…. 그런데 그 사랑하는 아이가 뭐라 말했어요? 당신 누이가 당신과 내가 함께 있는 것을 보면, 당신을 비난할 거라든가?"

그 말에 클라로 마음은 크게 혼란스러워졌다. 다행스럽게도 그 순간 그녀는 이웃 공원에서 너무도 아름다운 색채 유희를 발견하고 열정적으로 소리치기 시작했다.

"저길 봐요, 프시엠스키 씨. 저 공원 모퉁이 저곳에, 어두운 산책로에 햇빛이 얼마나 아름답게 퍼져 있는지 보세요…. 황금빛의, 실로 만든 움직이는 융단같아 보여요…."

"저 공원에 당신은 아직 가 본 적 없지요?"

"아뇨, 한 번도, 그럴 시간이 없었어요…."

"좋은 생각이 들었어요…. 왜 진작 이 생각을 하지 못했을까요? 우리가 왕자공원에 함께 가봐요!"

그 제안에 그녀는 겁이 덜컥 났다.

"안 돼요!" 그녀는 외쳤다. "그것은 금지되어 있어요…."

그는 거의 큰 소리로 웃음을 터뜨렸다.

— Se mi enkondukos vin...

Li estas prava; lia permeso egalvaloras la permeson de la princo mem.

Granda estis la tento. Kiom da fojoj, rigardante la majestajn aleojn, ŝi revis trairi ilian tutan longon, nur unu fojon en la vivo, sidi unu momenton en ĉi tiu maro de verdaĵo, kies supraĵon sulkigas ombroj kaj lumoj! Sed ŝia maltrankvilo daŭris. Ŝanceliĝante ŝi haltis antaŭ la laŭbo.

— Kaj se ni renkontos...

— Kiun?

— La princon!

Przyjemski ekridis ree tiel laŭte, kiel ŝi neniam aŭdis lin ridi.

— Li ne estas hejme; li foriris samtempe kun mi... — li certigis.

— Eble pli bone estos en la laŭbo?...

Sed li diris:

— Mi petas vin: kredeble jam de longe vi deziras viziti la parkon, kaj plenumo de via deziro estos feliĉo por mi. Vi petis la falantan stelon pri ekskurso en ĉi tiu somero en la arbaron... Eble promeno en la parko anstataŭos la revatan... Ne rifuzu al mi...

Ŝi estus povinta kontraŭbatali la tenton viziti la parkon mistere allogan, sed ŝi cedis al lia peto.

— Bone, ni iru, — ŝi diris obee.

— Bravo! — ekkriis Przyjemski.

"내가 당신을 데리고 들어가면요….."

그가 옳다. 그의 허락은 곧 왕자 자신의 허락과 같은 가치를 가진다.

대단한 게 유혹이었다. 그녀는 호화로운 산책로들을 바라보며 평생 단 한 번이라도 저 길 전체를 걸어보면서, 그늘과 빛이 지표면을 주름지게 하는, 바다 같은 이 녹지 공간에서 잠시 앉아 보는 꿈을 몇 번이나 꾸어 보았던가! 하지만 그녀 불안은 계속됐다. 그녀는 주저하면서 그 정자 앞에 멈춰 섰다.

"만약 우리가 만나면….."

"누구를요?"

"왕자 자가를요!"

"왕자 자가라니!"

프시엠스키는 자신이 그렇게 웃는 것을 한 번도 들어본 적이 없을 만큼 큰 소리로 다시 웃었다.

"그분은 지금 댁에 안 계십니다. 그분은, 내가 나올 때, 함께 동시에 떠났어요….." 그는 확신했다.

"아마도 정자에 우리가 머무는 게 나을지도?"

그러나 그는 말했다.

"내가 부탁할게요. 분명 당신은 오랫동안 저 공원을 한번 가보고 싶은 열망이 있었다고 하고 내가 그 소원이 이루어지는 것을 보면 나로서는 행복이 될 거고요. 당신은 지난번에, 올여름 떨어지는 별들을 보면서 숲속 소풍을 기원하기도 했지요... 아마도 이렇게 공원 산책을 해 보는 것이 당신이 꿈꾸던 일 하는 것이나 마찬가지일거요….. 내 제안에 거절하지 말아요….."

그녀는 신비롭고 매력적인 공원을 방문하고픈 유혹을 뿌리칠 수도 있었지만, 그의 제안에 굴복했다.

"좋아요, 우리 가 봐요." 그녀는 순순히 응하며 말했다.

"브라보!" 프시엠스키가 외쳤다.

Ili ambaŭ havis mienojn de petolantaj infanoj, tiel ili estis gajaj kaj ridemaj.

Per rapidaj paŝoj, preskaŭ kurante, ili trairis la spacon, kiu disigis ilin de la parka pordo, kaj eniris la grandan aleon, sur kies ambaŭ flankoj staris jarcentaj arboj. La dikaj trunkoj kaj la sennombraj folioriĉaj branĉoj formis kvazaŭ du murojn. La sunaj radioj traboris la verdaĵon kaj oris la foliojn. Nigra strio de tero ĉe la malsuproj de la dikaj trunkoj estis kovrita de reto, kies maŝoj estis oraj, neegalaj kaj moviĝemaj.

Klaro eksilentis, malrapidigis la paŝojn. La rideto malaperis de ŝiaj lipoj. Przyjemski rigardis kun plezuro ŝian vizaĝon.

— Kiel impresebla vi estas!... — li diris mallaŭte. Ŝi ne respondis, paŝante kvazaŭ en preĝejo, delikate, preskaŭ sur la fingroj, apenaŭ tuŝetante la teron.

Silente ili trairis la aleon paralela al la ĝardeno, kie staris la dometo kovrita de fazeolo. Sed kiam ili venis al alia aleo, same majesta kiel la ĉefa, nur malpli longa, Klaro kvazaŭ vekiĝis:

— Ni ne iru pli malproksimen, — murmuretis ŝi.

— Kontraŭe, ni iru! — li insistis. — Se ĉi tiu aleo kondukus ĝis la fino de la mondo, mi irus kun vi kaj mi ne demandus, kiam ĝi finiĝos.

— Sed ĉar ĝi ne kondukas al la fino de la mondo, sed rekte ĝis la palaco... — diris Klaro, provante ŝerci.

그 두 사람은, 신나게 놀고 있는 아이들 표정처럼, 정말 쾌활하게 웃는다.

그 둘은 거의 뛸 듯이 잰걸음으로 공원 출입문이 있는 공간을 지나, 양편에 수백 년 된 나무들이 서 있는 넓은 산책로로 들어섰다. 두툼한 나무 둥치들과 잎이 무성한 무수한 나뭇가지가 두 개의 벽처럼 만들어 놓았다. 태양 광선이 녹지를 뚫어 지나고, 나뭇잎들이 햇빛에 금빛으로 반짝였다. 두툼한 나무둥치들의 저 아래, 바닥의 검정 흙이 한 줄로 황금빛 그물에 덮여 있었는데, 그물망은 고르지 않고 흔들리고 있었다.

클라로는 말이 없어지고, 발걸음도 늦췄다. 그녀 입가에서 미소가 사라졌다. 프시엠스키는 즐거운 표정으로 그녀 얼굴을 바라보았다.

"아가씨, 당신 모습 참 인상적이네요!" 그는 부드럽게 말했다. 그녀는 그 말에 답하지 않고, 마치 교회에 있는 것처럼, 섬세하게, 거의 발가락으로 땅을 거의 닿지 않은 듯이 살금살금 걸어갔다.

조용히 그 둘은 콩으로 덮인 작은 집이 서 있는 정원과 평행한 산책로에서 걷고 있다. 그러나 그 둘이 주 산책로만큼이나 장중하면서도, 그 길이에 있어, 다소 짧은 다른 산책로에 들어섰을 때, 클라로는 잠에서 깨어난 것 같았다.

"우린 더 멀리로는 가지 말아요." 그녀는 중얼거렸다.

"아니요. 우린 계속 가요!" 그는 주장했다. "이 산책로가 세상의 종말로 이어진다 해도, 나는 당신과 함께 갈 거요. 또 이 길이 언제 끝나는지는 묻지 않을 거요."

"하지만 이 산책로가 세상의 종말로 가는 길이 아니라, 바로 왕자궁전에 닿거든…." 클라로가 농담조로 말했다.

— Tute ne — interrompis Przyjemski, — de ĝia fino ĝis la palaco estas ankoraŭ kelkaj centoj da paŝoj, kiujn okupas florĝardeno. Ni iru al la floroj...

Klaro haltis. Ŝi ne komprenis la motivon de la maltrankvilo, kiun ŝi sentis, sed influata de ĝi, ŝi diris decideme:

— Mi eksidos ĉi tie... sur ĉi tiu herbaĵa benko... Bela benko, belega loko!

La herbaĵa benko estis tre malalta kaj tiel mallarĝa, ke apenaŭ du personoj povis sidi tie. Branĉoriĉa arbo ombris ĝin, kaj antaŭ ĝi kuŝis herba, velura tapiŝo.

Izolita estis la loko. Alta muro de verdaĵo kaŝis de la rigardoj la palacon kaj ĝardenon. Inter du trunkoj oni vidis herbaron, sur kiun la subiranta suno verŝis siajn oblikvajn radiojn. Malproksime, ĉe la fino de la aleo, la florĝardeno kontrastis la verdan fonon, kiel hela multkolora makulo. Silento regis ĉirkaŭe. Nur la birdetoj pepis inter la branĉoj kaj de tempo al tempo flava folio falis teren.

La silenton interrompis ekkrio de Klaro. Sidiĝante sur la benkon, ŝi ekvidis la florĝardenon; ŝi ekkriis, brubatante la manojn:

— Dio! kiom da floroj! kiel belegaj ili estas!

Przyjemski prenis el ŝia mano la korbon kaj metis ĝin apude sur la benkon. Ĝojo ekbrilis sur lia vizaĝo, kiam li petis:

— Restu momenton sola ĉi tie. Mi tuj revenos.

"전혀 아니에요." 프시엠스키가 그 말에 끼어들었다. "그 종말의 끝에서 저 궁전 사이는 꽃밭이 차지하고 있거든요, 수백 걸음은 더 가야 합니다..."

클라로가 멈췄다. 그녀는 자신이 느끼는 불안감의 이유를 이해하지 못했지만, 그 불안감 때문에 단호하게 말했다.

"나는 여기 앉을 거에요…. 이곳 풀밭 벤치에…. 아름다운 벤치네요, 아름다운 장소이구요!"

풀밭 벤치는, 두 사람이 그곳에 앉기에는 매우 낮고 좁다. 가지 많은 나무 한 그루가 그 벤치로 향하는 햇빛을 가렸고, 그 나무 앞에는 벨벳 같은 무성한 풀의 카펫이 깔려있다.

고립된 장소였다. 높은 녹지 벽으로 인해 사람들의 눈길에서 그 궁전과 그 정원이 보이지 않게 숨겨 주고 있다. 두 나무둥치 사이로 풀밭이 보이고, 그 위에 지는 태양이 비스듬한 광선을 쏟아 놓고 있다. 저 멀리 산책로 끝에는 꽃밭이 녹색 배경과 대조를 이루며, 마치 밝은 다색의 반점처럼 보였다. 사방이 침묵으로 고요했다. 나뭇가지 사이에서 작은 새들만 지저귀고, 이따금 노란 잎이 땅으로 떨어졌다.

클라로가 자신의 외침으로 침묵이 깨졌다. 벤치에 앉아 그녀는 꽃밭을 바라보았다. 그녀는 자신의 손뼉을 치며 외쳤다.

"하나님! 꽃이 저리도 많아요! 정말 아름다워요!"

프시엠스키는 손에서 그녀가 들고 있던 바구니를 받아 들고는, 벤치에 놓았다. 그가 요청했을 때, 기쁨은 그의 얼굴에 번쩍였다.

"잠시만 여기 혼자 있어요. 곧 내가 돌아올게요.

Mi nur petas vin: timu nenion kaj ne foriru... Mi tuj revenos!

Li foriris al la palaco per rapidaj paŝoj.

Klaro sekvis lin per sia rigardo. Renkonte al li kuris juna knabo en livreo kun metalaj butonoj, supozeble ĝardenisto aŭ lakeeto. Przyjemski ion diris al li kun ordona gesto. Kiam la knabo rapide forkuris, Przyjemski ankoraŭ unu fojon sin turnis al li, kriante, tiel laŭte, ke ŝi klare aŭdis:

— Plej rapide!

Li revenis al ŝi kaj staris, tenante en la mano la ĉapelon kaj libron. Klaro sulkiĝis sur fadeno dikan pinton por ornami kufon, kiu kuŝis sur ŝiaj genuoj.

— Ĉu ĝi estas kufo de la sinjorino... vidvino de la veterinaro?

— De sinjorino Dutkiewicz, — ŝi korektis, — jes, de kelkaj jaroj nur mi liveras ilin al ŝi...

— Ĉu vi nenion diros al mi pri la persekuto minacanta vin de via fratineto? Staĉjo ja promesis gardi vin...

Konfuziĝinte, ŝi ne levis la kapon.

— Franjo ne estas tre laborema en la kudrejo — ŝi diris kvazaŭ devigite, — oni tie ne estas kontentaj. En la urbo ŝi koniĝis kun personoj, kiuj malbone ŝin influas...

— Ŝiaj buŝo kaj rigardo montras personon kaprican kaj malpaceman... Ŝi kredeble kaŭzas al vi multajn suferojn...

단지 당신에게 요청해요. 아무것도 두려워하지 말고, 어디 가지도 말아요…. 곧 내가 돌아올게요!"

그는 잰걸음으로 궁전을 향해 걸었다.

클라로는 눈길로 그를 따라갔다. 금속 단추가 달린, 부잣집 하인 제복을 입은 소년이 그를 향해 달려왔는데, 아마 정원 일을 하는 소년이거나 어린 하인인 것 같다. 프시엠스키는 명령하는 몸짓으로 그 소년에게 무언가를 말했다. 소년이 재빨리 내달렸다. 그러자 프시엠스키는 또다시 그 소년을 향해 소리를 질렀다. 아주 큰 소리라서 그녀도 명확하게 들었다.

"최고로 서둘러 가!"

그는 그녀에게 돌아와서는 자신의 모자와 책을 손에 들고 섰다. 클라로는 자신의 무릎에 놓인 보닛 모자에 장식물을 달려고 실에다 두꺼운 끝단을 접고 있다.

"저게 그 노부인의… 그 수의사 미망인의 모자인가요?"

"두트키에비치 부인의 것이에요," 그녀가 정정했다. "그래요, 몇 년 동안 저 혼자만 이 모자들에 장식물을 달아 그분께 전달해 왔어요…."

"그 누이가 당신에게 하던 그 심한 말에 대해 내게 아무 말도 하지 않을 건가요? 그 남동생은 당신을 지켜주기로 약속하던데요…."

깜짝 놀라 그녀는 고개를 들지 않았다.

"누이 프라뇨는 재봉소에서 그다지 열심히 일하지 않네요." 그녀는 강요된 듯 말했다. "사람들이 그곳 일에 만족 못 하나 봐요. 시내에서 일하면서, 그 애는 그곳의 나쁜 아이들과 어울렸나 봐요…."

"그 누이 입과 표정을 보면 변덕스럽고 다툼을 좋아하는 성격이 보이는데… 그 누이가 당신에게 수많은 고통을 필시 안겨주고 있네요…."

— Tute ne, mi certigas vin! — ekkriis vive Klaro,
— ŝi estas tre bona, ora koro. Nur unu afero
ĉagrenas min, ke ŝi ne amas kudradon. Tamen ŝi
nepre devas ellerni metion, por havi poste pecon da
pano. Ni decidis, patro kaj mi, ke ŝi estu modistino.
Kion ni povus plu? Sed kiel forigi la malbonajn
influojn, jen estas demando, kiu nin tre ĉagrenas.

Ŝi parolis, ne ĉesante kudri, ne levante la kapon.
Li aŭskultis atente, sed ne sidiĝis kaj ĉiumomente
rigardis al la florĝardeno, kvazaŭ ion atendante. Fine
li ekvidis la knabon en livreo kuranta kun granda
bukedo. Przyjemski rapidis al li.

Klaro levis la kapon kaj vidis, ke Przyjemski
prenas el la manoj de la knabo la florojn. Metinte la
manon kun la bukedo malantaŭ la dorson, li rapide
revenis. Diveninte, ke la floroj estas por ŝi, Klaro
faris vivan movon; la kufo kaj la pintoj falis de ŝiaj
genuoj teren.

Przyjemski, kiu jam estis kelke da paŝoj de ŝi,
rapide proksimiĝis, fleksis unu genuon kaj, levante
per unu mano la falintajn objektojn, per la alia
etendis al ŝi la bukedon.

Unu momento, unu movo, unu rigardo en ŝiajn
okulojn, kaj ree li staris antaŭ la knabino, kiu kaŝis
la purpuran vizaĝon en la bukedo.

La floroj, rapide deŝiritaj, senarte kunigitaj,
belegaj, variaj kaj bonodoraj.

"전혀 그렇지 않습니다. 장담해요!" 클라로는 생생하게 외쳤다. "그 애는 아주 착하고 금쪽같은 마음입니다. 나를 화나게 하는 유일한 점은 그녀가 바느질을 좋아하지 않는다는 거예요. 하지만 나중에 빵 한 조각이라도 먹으려면 수공예를 잘하는 법을 배워야 합니다. 아버지와 나는 그녀가 옷을 잘 다루는 디자이너가 되어야 한다고 결정했어요. 우리가 또 다른 무엇을 할 수 있나요? 하지만 어떻게 그녀 주변에서의 나쁜 영향을 없앨까 하는 바로 그게 우리를 매우 당황하게 만드는 질문이에요."

그녀는 하던 바느질을 멈추지도 않고 고개 들지도 않고 말했다. 그는 귀 기울여 듣지만, 무언가를 기다리는 듯 자리에 앉지 않고, 매 순간 그 꽃밭만 보고 있었다. 마침내 그는 큰 꽃다발을 들고 달려오는 제복을 입은 소년을 보았다. 프시엠스키는 그 소년을 향해 서둘러 달려갔다.

클라로는 고개를 들어 프시엠스키가 소년의 손에서 꽃다발을 받는 것을 보았다. 프시엠스키는 그 꽃다발을 든 자신의 한 손을 자신의 등 뒤로 얹은 뒤 재빨리 돌아왔다. 그 꽃다발은 필시 클라로를 위한 것임을 짐작한 클라로는 활기차게 몸을 일으켰다. 보닛 모자와 레이스들이 그녀 무릎에서 땅에 떨어졌다.

이미 그녀에게서 몇 걸음 멀리 떨어져 있던 프시엠스키가 서둘러 다가와, 한쪽 무릎을 구부리고 한 손으로 떨어진 바느질감들을 집어 들고, 다른 한 손으로 클라로에게 꽃다발을 내밀었다.

한순간, 한 동작, 한 번의 눈길이 그녀 눈에 들어왔고, 다시 그는 그 꽃다발에 자줏빛 얼굴을 숨긴 아가씨 앞에 섰다.

서둘러 꺾느라 아무렇게나 모았으나, 꽃다발은 정말 아름답고 다양하며 향기롭다.

Ilia ebriiga odoro, iliaj brilaj koloroj konfuzis la imagon, koron kaj sentojn de Klaro en momento, kiam la bela viro genuis antaŭ ŝi kaj rigardis en la profundon de ŝiaj okuloj.

Li, ankaŭ tre kortuŝita, rapide trankviliĝis.

— Kaj nun — li diris sidiĝante ĉe ŝia flanko, — ni forgesu ĉiujn hejmajn zorgojn, ĉion malbonan, malgrandan, ĉion doloran kaj ni transiru en pli bonan mondon!...

Per tonoriĉa kaj lerta voĉo li komencis legi:

De kiam ŝi flugis per songo la ora,
Mi svenas, sopire sekiĝas, dolora;
Ne scias mi, kial l'anim' al ĉieloj
Ne flugas el cindroj post ŝi, al anĝeloj?
Pro kio ne flugas al mondo alia,
Al tiu savita, amata la mia!
[„En Svisujo" de I. Slowacki, traduko de A. Grabowski.]

Flugis la momentoj. Flavaj kaj rozaj folioj falis de la arboj.

La oblikvaj sunaj radioj fariĝis pli kaj pli mallongaj, la malgrandaj oraj rondoj sur la nigra tero — malpli larĝaj kaj malpli multenombraj. Klaro ĉesis kudri. Metinte la manojn sur la genuojn, ŝi aŭskultis, kaj ŝiaj pupiloj ore brilis.

Li legis:

꽃다발의 감미로운 향기와 꽃다발의 찬란한 색깔은, 그 잘생긴 남자가 클라로 앞에 무릎을 꿇고 클라로의 깊은 눈을 들여다보는 순간, 클라로 자신의 상상, 마음과 감각을 혼란스럽게 했다.

그에게도 매우 감동의 순간이나, 서둘러 그는 평정심을 되찾았다.

"그리고 이제," 그는 그녀 옆에 앉으며 말했다. "집안의 모든 걱정거리, 나쁜 일, 하찮은 일, 괴로운 일은 잊고, 이제 우린 더 나은 세상으로 나아가 봐요!"

감성이 풍부하고 능숙한 목소리로 그는 책의 한 대목11)을 읽기 시작했다.

> 그녀가 금빛 꿈의 날개로 날아가 버린 뒤
> 나는 혼절하고 그리움으로 사무치고 고통스럽다.
> 왜 그녀 뒤에 남아 재가 된 영혼은
> 천국으로, 천사들이 사는 천국으로
> 날지 못하게 하는지 난 모르겠네.
> 왜 다른 세계로 가버리고는, 저 구원받은 사랑하는
> 나의 세계로는 날아오지 않고!

순간순간이 날 듯이 지나갔다. 노란 나뭇잎과 분홍 나뭇잎들이 나무에서 떨어지고 있었다.

비스듬하게 비치던 태양 광선은 점점 더 짧아지고, 검은 땅 위의 금빛의 그 작은 크기의 원들도- 더 크기가 줄어들고, 그 수효도 줄어갔다. 클라로는 바느질을 멈췄다. 그녀는 무릎에 손을 얹고 귀를 기울였고, 그녀 눈동자가 금빛으로 빛났다.

그는 읽어내려갔다.

---

11) *역주: [I. Slowacki의 『스위스에서』, A. Grabowski 번역.] 율리우시 스워바츠키는 폴란드 시인이며 극작가로 19세기 폴란드 문학의 지도적인 인물이다.

Ŝi flamis kiele fumilo de mirho, —
Ke mem ŝi ne scias pri flam', estis vida;
Profunda fariĝis l' okula safiro,
Kaj l' ond' de l' blankeco sur brust' pli rapida...

Pli rapida fariĝis ŝia spirado. Ĉu tio estas sonĝo?
Ĉu ŝi jam mortis kaj estas en la paradizo? El ŝia
bukedo flugas ebriiga odoro kaj proksime de ŝi la
bela voĉo legas:

Moment' estas, antaŭ ol luno eliras:
La najtingalar' eksilentas la kanta,
Kaj pendas folioj sen mov' bruetanta,
Kaj fontoj herbejaj mallaŭte pli spiras...

Sen murmureto falis de la arboj la folioj, ĉie regis
kvieto, la krepusko jam komencis sterni sian
kovrilon. Li legis:

En tia momento ah! ploras du koroj!
Se ion pardoni nur havas — pardonas,
Se ion forgesi — forgesas memoroj!

Pasis la minutoj; proksimiĝis la fino de l'poemo.
La delogita amatino „flugis per sonĝo la ora", la
amato, konvinkita ke ŝi „venis el ĉielarko", ploras
ŝian perdon.

그녀는 몰약이 담긴 향료처럼 불타오르고, —
그녀 자신은 화염에 대해 모르는구나.
저 눈의 사파이어는 깊구나
또 가슴의 하얀 물결은 더 가쁘다…

더 가빠오는 것은 그녀 숨 쉼이다. 이게 꿈인가? 그녀가 이미
죽어 천국에 와 있는가? 그녀가 받은 꽃다발에서 감흥에 취한
향기가 품어 나오고, 그녀 가까이서 아름다운 목소리의 낭독이
이어진다.

달 뜨기 전의 순간…
나이팅게일 새들의 노래마저 이젠 들리지 않고,
나뭇잎은 바스락거리는 소리 없이 매달려 있네.
그리고 초원의 샘물들은 더 부드럽게 숨쉰다네…

아무 소리도 내지 않고 나무에서 나뭇잎들이 떨어졌고, 사방
은 고요하고, 황혼이 이미 덮개를 펼치기 시작했다. 그는 더 읽
었다.

그 순간에 아! 두 마음은 울고 있네!
무언가 용서해야 한다면 – 용서하고
잊어버릴 게 있다면 – 추억마저 잊어요!

몇 분이 지났다. 그 시의 끝에 다가섰다.

유혹에 빠진 여성 연인은 "금빛 꿈의 날개를 펼쳐 날아갔
고", 그 여성을 사랑하는 남자 연인은 그 여성이 "무지개에서
왔구나" 하고 확신했는데, 그 여성이 없어진 것에 운다.

Kaj fluas fontan', najtingala ar' ĝemas,
Pri ŝi ili diras — mi kore ektremas
Kaj preĝas pri morto en fru', malespere...

Li levis la rigardon de la libro kaj direktis ĝin al
la vizaĝo de la kunulino. Du grandaj larmoj brilis
sur la okulharoj de Klaro.

La juna homo etendis delikate la brakon kaj kovris
ŝian manon per sia. Klaro ne forigis sian manon; du
grandaj larmoj fluis de la okulharoj sur la rozajn
vangojn.

— Ĉu ili estas larmoj de bedaŭro, aŭ de feliĉo? —
li demandis tre mallaŭte.

Post momenta silento ŝi respondis apenaŭ aŭdeble:

— De feliĉo!

Ŝi estis plena de feliĉo kaj samtempe de stranga
doloro. Subite ŝi eksentis, ke brako delikate
ĉirkaŭprenas ŝian talion. Malaperis la sonĝo. Kun
sento de feliĉo kaj doloro kuniĝis konfuzo. Timigite,
Klaro ŝovis sin ĝis la fino de la benko kaj ne
levante la palpebrojn, rapide, senorde ŝi ĵetis en la
korbon la muslinon kaj la puntojn.

— Mi jam iros hejmen, — ŝi flustris.

Li sidis kliniĝinta kun la kubuto sur la genuo kaj
apogis sur la manplato la frunton, same ruĝiĝintan
kiel ŝiaj vangoj. Liaj delikataj naztruoj jen larĝiĝis,
jen kuntiriĝis, lia mano ĉifis nerve la muslinon.

Tio ne daŭris longe.

그리고 분수는 흐르고, 나이팅게일 새떼는 한숨을 쉬면서,
그녀를 두고 그들은 말한다 ― 내 마음이 떨려.
그리고 절망적으로, 일찍 죽음을 안타까워하며 기도하리…

그는 책에서 눈을 떼어, 함께 있는 클라로 얼굴로 향했다. 클라로 눈가에 두 방울의 큰 눈물이 반짝거렸다.

청년은 조심스럽게 팔을 뻗어 그녀 손을 자신의 손으로 감쌌다. 클라로는 자신의 손을 빼내지 않았다. 두 방울의 큰 눈물이 눈가에서 장밋빛 뺨으로 흘러내렸다.

"안타까운 눈물 아니면 행복한 눈물인가요?" 그는 아주 부드럽게 물었다.

잠깐 침묵한 후 그녀는 거의 들리지 않는 목소리로 답했다.

"행복한 눈물이에요!"

그녀는 행복감과 함께, 묘한 아픔으로 가득 차 있었다. 갑자기 그녀는 누군가의 팔이 그녀 허리를 섬세하게 감싸는 것을 느꼈다. 꿈이 그만 사라져버렸다. 행복감과 아픔과 함께 혼란이 더해졌다. 겁에 질린 클라로는 벤치 끝으로 자신의 몸을 물러나고, 눈꺼풀도 들지 않은 채로, 재빠르게, 무질서하게 바구니에 옥양목 직물과 레이스들을 집어넣었다.

"난 이제 집에 갈래요" 그녀가 속삭였다.

그는, 자신의 팔꿈치를 무릎에 올리고 몸을 구부린 채, 그녀 뺨처럼 마찬가지로 붉힌 자신의 이마를 손바닥에 놓았다. 그의 섬세한 콧구멍은 넓어졌다 줄어들기를 반복했고, 그의 손은 초조하게 옥양목 직물을 구겼다.

그것은 오래가지 못했다.

Li trankviliĝis, remetis sian manon sur ŝian kaj diris preskaŭ ordone:

— Vi ne iros ankoraŭ, ĉar ni ankoraŭ ne finis la poemon.

La unuan fojon, de la tempo kiam ŝi konis lin, despota tono eksonis en lia voĉo. Tenante ŝian manon en la sia, kaj rigardante teren, li ekmeditis kaj mordetis la malsupran lipon. Post momento li lasis ŝian manon kaj ekparolis pli delikate:

— Mi rememoris ion, kio post la belega poemo „En Svisujo" sonos kvazaŭ grinco post anĝela kanto. Kion fari? Mi devas ĝin komuniki al vi. Ni kune aŭskultis la anĝelan kanton, ni kune aŭdos la grincon. Kial mi sola devus aŭdi ĝin?

Ironia fariĝis la esprimo de liaj lipoj, la sulko inter la brovoj pli profundiĝis. Post momenta silento li daŭrigis.

— Antaŭ kelkaj tagoj mi trovis en la ĉambro de mia amiko polan tradukon de ama poezio de Heine. Mi neniam antaŭe legis ĝin en traduko. Mi rigardis la libron, mi komencis legi. La traduko estas tre bela, tre bela, Mi havas tre bonan memoron; hieraŭ mi diris al vi parkere unu strofon, nun mi diros alian. Aŭskultu atente.

Kliniĝinta al ŝi, apogante la vizaĝon sur la manplato kaj rigardante en la profundon de ŝiaj okuloj, li deklamis malrapide kanton de Heine:

그는 진정하고, 그녀 손에 자신의 손을 다시 얹고 거의 명령하듯 말했다.

"아직 시가 끝나지 않았는데, 아가씨, 당신은 아직 가면 안 돼."

그녀는, 그를 알고 난 처음으로, 그의 목소리에서 독재적인 어조를 느낄 수 있었다. 그는 그녀 손을 자신의 손에 잡고 땅을 내려다보며 명상하며 아랫입술을 깨물었다. 잠시 뒤, 그는 그녀 손을 놓고 좀 더 섬세하게 말하기 시작했다.

"아름다운 시집 『스위스에서』에서 이 시가, 이 천사의 노래가 끝나면 마치 삐걱거림과 같은 소리가 날 거라는 말을 들었던 것 같네요. 무엇을 해야 할지? 나는 당신에게 그걸 전달해야 하지요. 우리가 함께 천사의 노래를 들었으니, 함께 삐걱거리는 소리도 듣게 될 겁니다. 왜 나만 혼자 듣고 있어야 합니까?"

아이러니해진 것은 그의 입술 표정이고, 그의 눈썹 사이 주름은 더 깊어졌다. 잠시 침묵이 흐른 뒤, 그는 말을 계속했다.

"며칠 전 내 친구 방에서 하이네(Heine)의 연애 시가 폴란드어로 번역된 시집을 발견했습니다. 이전에는 그 작품을 번역본으로는 읽어본 적이 없습니다. 나는 그 책을 보고 읽기 시작했습니다. 그 번역은 매우 아름답습니다. 매우 아름다웠지요. 저는 기억력이 매우 좋아요. 어제 나는 그 시의 한 구절을 외워 말했고, 오늘 이제 다른 구절을 말해 보렵니다. 잘 들어 봐요."

그는, 클라로를 향해 몸을 숙이고 손바닥으로 자신의 얼굴을 받치고는, 그녀의 깊은 눈을 들여다보며, 하이네의 노래를 천천히 낭송했다.

Junul' junulinon ekamis,
Lin ŝia ekamis anim',
Sed la reciprokan konfeson,
Haltigis ilia estim',...

Kaj kiam for ili disiris,
Funebro en ambaŭ la kor',
Ne sciis eĉ unu pri dua
En lasta de l'vivo la hor'...

— Rimarku bone... ili amis unu la alian, sed „ne sciis eĉ unu pri dua en lasta de l'vivo la hor'" ĉar „la reciprokan konfeson haltigis ilia estim'" Ĝi estas grinco kaj disonanco. Nobla amo estas bazita sur la estimo, sed la estimo estas haltigilo de la amo. Nenio en la mondo estas simpla kaj facila, ĉio estas komplikita kaj ĉirkaŭita de malhelpoj. Vi ne volas plu forkuri? Ĉu ni finos legi „En Svisujo"? Mi estas danka al vi, ke vi konigis al mi la poemon! La pli grandan parton de mia vivo mi pasigis en eksterlando, mi legis nur fremdajn verkojn. Sed nia literaturo ankaŭ estas belega!... Mi multon lernis de vi...

Malgraŭ la kortuŝiĝo ŝi ekridis kore.

— Vi? de mi? Granda Dio! Kion mi povas instrui al iu ajn? Nur Staĉjon mi instruis legi kaj skribi...

— Mi eble klarigos al vi poste, kion vi instruis al mi... nun ni finu la poemon. Kaj ree li legis:

한 청년이 젊은 여성을 사랑하게 되었지요.
그녀 영혼도 그 남자를 사랑하게 되었지요,
하지만 서로의 고백을 막은 것은,
그 두 사람의, 서로에 대한 존경심이었어요….

그러고서 그 둘은 헤어지게 되었지요.
두 마음 모두 장례식 같은 슬픔을 안고요,
그 두 사람은 각자의 삶을 몰랐지요
삶의 마지막 시간에서조차도 몰랐지요….

"여길 주목하세요…. 그 둘은 서로 사랑했지만, '그 두 사람은 각자의 삶을 몰랐지요. 삶의 마지막 시간조차도 몰랐지요….' 그것은, '하지만 서로의 고백을 막은 것은, 그 두 사람의, 서로에 대한 존경심이었어요….' 그게 삐걱거림이고 불협화음입니다. 고귀한 사랑은 존경을 바탕으로 하지만, 존경심은 사랑을 멈추게 하는 도구입니다. 세상에는 간단하고 쉬운 것이 하나도 없고, 모든 것이 복잡하고 장애물로 둘러싸여 있습니다. 더는 도망치고 싶지 않지요? 『스위스에서』를 읽는 걸 우리가 마무리해 볼까요? 당신이 내게 이 시를 알게 해 주어 고맙습니다! 나는 인생의 대부분을 해외에서 보냈고 외국 작품만 읽었습니다. 하지만 우리 문학도 정말 매력 그 자체이네요!... 나는 아가씨, 당신에게서 많은 것을 배웠어요…."

그런 감동의 감정에도 불구하고 그녀는 진심으로 웃었다.

"그쪽이? 나한테서요? 아이고! 내가 누구에게 뭘 가르칠 수 있나요? 단지 스타쵸에게만 읽고 쓰는 법을 가르쳤는데…."

"당신이 나에게 가르쳐준 걸 나중에 내가 설명할 수도 있겠지만... 이제 우리가 이 시를 마저 읽어봅시다." 그러고는 다시 그는 읽었다.

La pens', revenante pasinton sen fino,
Ne scias, en kia pentradi sin formo...

Flugis la momentoj; aŭskultante Klaro kudris, sed malrapide kaj malrekte.

La leganta voĉo eksilentis. Sur la herbaro malantaŭ la arboj ne estis plu la oraj strioj, la ora reto malaperis de la nigra tero. Nun la okcidentaj lumoj brilis sur la pintoj de la arboj kvazaŭ rozaj torĉoj kaj kandeloj. Malsupre jam noktiĝis; la bela florĝardeno ŝajnis nun griza; nur la blankaj floroj estis ankoraŭ klare videblaj.

Klaro rigardis la kufon jam ornamitan per puntoj.

— Mia Dio! — ŝi ekkriis, — kion mi faris?

— Ĝi estas malrekte kudrita! — diris Przyjemski ridetante.

— Tute malrekte! Ĉu vi vidas? Tie ĉi estas tre multe da faldoj kaj tie ili mankas; tie ĉi ili proksimiĝas al la rando, tie supreniras...

— Katastrofo! Ĉu vi ĝin malkudros?

— Kompreneble, sed la malfeliĉo ne estas granda. Post duonhoro ĉio estos en ordo.

— Ne eblas servi al du sinjoroj... Vi volis servi al la prozo kaj al la poezio; la prozo venĝis sin.

Ŝi levis al li la okulojn.

— Alia estas mia opinio. Ŝajnas al mi, ke ĉiu laboro, eĉ la plej proza, enhavas iom da poezio. Tio dependas de niaj intencoj.

끝도 없이 과거로 돌아가는 내 생각은,
어떤 형태로 그려야 할지 모르겠어요….

그렇게 순간순간이 훌쩍 지나갔다. 유심히 들으면서도 클라로
는 바느질하지만 느리고 비뚤어졌다.

낭독하는 목소리가 이제 조용해졌다. 나무 뒤쪽의 풀에는 더
는 황금빛 줄무늬가 없다. 검은 땅에 금빛 그물도 사라졌다. 이
제 서녘 노을이 장밋빛 횃불과 양초처럼 나무들 꼭대기마다 빛
나고 있었다. 저 아래는 이미 어둑해졌다. 그 아름답던 꽃밭은
이제 회색빛으로 변한 것 같다. 흰 꽃들만 여전히 선명하게 보
였다.

클라로는 이미 레이스로 장식된 보닛 모자를 바라보았다.

"맙소사!" 그녀는 외쳤다. "내가 뭘 한 거지?"

"삐딱하게 꿰매어져 있어요!" 프시엠스키가 웃으며 말했다.

"완전히 틀렸어! 이게 보여요? 여기는 접힌 부분이 많지만,
저기는 없네요. 여기는 접힌 부분이 가장자리로 접근하는데, 저
기는 위로 올라갔네…."

"낭패군요! 당신이 그걸 풀어야지요?"

"물론이지요. 불행은 크지 않아요. 30분 뒤엔 모든 것이 바
로잡힐 거에요."

"두 주인을 섬기는 것은 불가능하다… 이 말은 당신이 산문
과 시, 그 둘을 섬기고 싶었는데, 산문이 복수했네요."

그녀가 그를 올려다보았다.

"내 생각은 달라요. 내가 보기에는 모든 일에는, 심지어 가
장 산문다운 일이라 하더라도 약간의 시가 담겨 있구요. 그것은
우리가 하는 의도에 달려 있지요."

— De la motivoj — li korektis. — Vi estas prava. Sed pro kia motivo vi ornamas la kufojn de sinjorino Dutkiewicz?

— Ĉar mi ŝin amas, mi estas danka al ŝi; krome, en tia kufo ŝi estas ĉarma, aminda maljunulino.

— Granda feliĉo estas ami sinjorinon Dutkiewicz! — li diris kun ĝemo.

— Kial? — ŝi demandis.

— Ĉar oni povas estimi sinjorinon Dutkiewicz kaj diri, ke oni ŝin amas, dum en aliaj okazoj oni devas estimi kaj silenti, aŭ paroli malŝatante la estimon... „Sed la reciprokan konfeson haltigis ilia estim'...‟

Li ne finis, ĉar de malproksime, el la najbara ĝardeno eksonis la vokoj de Staĉjo:

— Klaro! Klaro!

Ne trovinte la fratinon en la laŭbo kaj ne sciante, kie ŝi estas, li kriis pli kaj pli laŭte. Klaro prenis la korbon kaj salte leviĝis de la benko.

— Kaj miaj floroj? — rememorigis Przyjemski, — vi ne prenos ilin?

— Mi prenos, dankon — ŝi respondis, prenante la bukedon, kiun li momenton tenis kun ŝia mano en sia.

Fulmoj ekbrilis en liaj okuloj, la moviĝemaj naztruoj ree larĝiĝis post kelkaj sekundoj li mallevis la manon kaj iris en la aleo kelke da paŝoj malantaŭ la knabino. Sur la vojturniĝo li demandis:

— En kia horo vespere vi finas la hejman laboron?

"동기에" 그가 정정했다. "당신 말이 맞습니다. 그런데 왜 두트키에비치 부인의 보닛 모자들을 그렇게 장식해 주고 있나요?" "내가 그분을 사랑하기 때문에요. 또 그분에게 감사합니다. 게다가 그런 보닛 모자를 즐겨 쓰는 그분은 매력적이고 사랑스러운 노부인입니다."

"큰 행복이 두트키에비치! -그 부인을 사랑하는 거네요!" 그는 한숨을 쉬며 말했다. "왜 그렇게 생각하세요?" 그녀가 물었다.

"왜냐면 두트키에비치 부인을 어떤 사람들이 존경할 수 있고, 그 노부인을 사랑한다고 말할 수 있지만, 어떤 경우에는요, 어떤 사람들은 그 노부인을 존경해야 하거나, 침묵해야 하거나, 또는, 그 노부인을 싫어하면서도 존경한다고 말해야 하기 때문이지요... 하지만 서로의 고백을 막은 것은, 그 두 사람의 서로에 대한 존경심이었어요…."

그는 말을 마치지 못했다. 왜냐하면, 멀리서, 이웃 정원에서 스타쵸가 부르는 소리가 들려왔기 때문이다.

"클라로 누나! 클라로 누나!"

남동생은 자신의 집 정자에서 큰 누나를 찾지 못하자, 큰 누나가 어디에 있는지도 모르자 더욱 크게 소리쳤다. 클라로는 바구니를 들고, 벤치에서 뛰쳐 올랐다.

"그럼, 내가 준 이 꽃은요?" 프시엠스키에게 상기시켰다. "당신은 가져가지 않을 건가요?"

"가져갈게요, 고마워요" 그가 자신의 다른 손으로 그 꽃다발을 집어 잠시 자신이 잡고 있던 그녀 손에 그 꽃다발을 전하자, 그녀는 그 꽃다발을 받아들고 답했다.

그의 두 눈에 섬광이 번쩍이고, 몇 초 뒤에 움직이는 듯한 콧구멍이 다시 넓어졌다. 그는 자신의 손을 내린 채, 그 아가씨 뒤에서 몇 걸음 물러나, 산책로에서 걸었다. 산책로 모퉁이에서 그는 물었다. "집안일은 저녁 몇 시에 끝나요?"

— En la deka — ŝi respondis; — la patro kaj Staĉjo tiam jam dormas, ankaŭ Franjo preskaŭ ĉiam.

— Kiam ili ekdormos kaj vi estos libera de la... servado, venu en la ĝardenon aŭskulti muzikon. En la deka horo mi komencos kun mia amiko ludi por vi. Ĉu vi tion deziras?

— Mi dankas vin! — ŝi respondis kaj ekstaris ĉe la pordeto de la krado, en la malluma ombro de la arboj.

— Bonan nokton al vi, sinjoro.

Li prenis ambaŭ ŝiajn manojn kaj momenton rigardis ŝin, mallevinte la kapon

— Ludante, — li flustris, — mi pensos pri vi, mi vidos en mia imago vin staranta ĉe la krado kaj aŭskultanta la muzikon. Tiamaniere niaj animoj estos kune...

Li rapide levis ambaŭ ŝiajn manojn kaj kisis unu post la alia.

Pasis unu horo. Wygrycz, sidante sur la mallarĝa kanapo kaj trinkante teon, admiris kun videbla plezuro la belajn florojn en argila vazo sur la retotuko. Li senĉese flaris kaj karesis ilin. Precipe plaĉis al li la verbenoj. „Kvazaŭ steletoj!" — li diris kun rideto, kiu nun perdis sian tutan maldolĉecon.

Klaro lumigis la lampon, preparis teon por la patro, verŝis lakton al Staĉjo, zorgis pri ĉio babilante, preskaŭ pepante.

"10시에요." 그녀는 대답했다. "그때 아버지와 남동생은 이미 잠들고, 누이도 거의 항상 잠들어요."

"가족이 잠들고 그 일 마치면, 정원으로 나와요. 음악을 들으러 와요. 10시에 친구와 함께 연주 시작하겠어요. 그러면 좋겠지요?"

"정말 프시엠스키 씨, 당신께 고마워요!" 그녀는 답하고, 나무들의 어두컴컴한 그늘에서 그 격자 울타리의 작은 출입문에 섰다.

"이제 잘 가요."

그는 클라로의 두 손을 잡고, 잠시 그녀를 바라보다가 고개를 숙였다.

"연주하면서" 그는 속삭였다. "나는 당신 생각할 겁니다. 당신이 저 울타리에 다가서서 음악을 듣고 있는 모습을 상상으로 볼 겁니다. 이로써 우리 둘의 영혼은 하나가 될 겁니다…"

그는 재빨리 그녀의 두 손을 들어 올려 차례로 키스했다.

한 시간이 지났다. 좁은 소파에 앉아 차를 마시면서 비그리치는 그물 천 위에 놓인 점토 꽃병에 담긴 아름다운 꽃들을 보고서 눈에 띄는 기쁜 표정으로 찬사를 보냈다. 그는 계속해 그 꽃 내음을 맡고 그 꽃다발을 건드려 보았다. 그는 특히 버들마편초 꽃을 좋아했다. "작은 별들을 보는 것 같네!" 그는 이제 모든 괴로움을 다 잊은 미소를 지으며 말했다.

클라로는 램프를 켜고, 아버지를 위해 차를 준비하고, 남동생 스타쵸를 위해 우유를 따르고, 거의 지저귀는 듯한 수다를 떨며 모든 일을 처리했다.

Ŝi rakontis, ke ŝi estis en la princa parko, ke ŝi legis tie kun sinjoro Przyjemski „En Svisujo", ke li donis al ŝi la florojn, ke ŝi vidis de malproksime la florĝardenon antaŭ la palaco, sur la fono de la verdaĵo de la parko.

Ŝia tuta persono radiis de ĝojo; ŝiaj movoj fariĝis graciaj, nervaj. Ŝi ne povis resti sur sama loko, ŝi sentis bezonon iri, kuri, paroli, eligi la troon da vivo, kiu bolis en ŝi. Iafoje ŝi eksilentis en la mezo de la frazo kaj staris senmova, mutiĝinta; ŝiaj rigardo kaj animo estis aliloke.

Wygrycz ne rigardis ŝin atente, li jen aŭskultis ŝiajn vortojn, jen meditis; lia vizaĝo estis nek malgaja, nek maldolĉa: kontraŭe, petola rideto eraris sur liaj sensangaj lipoj.

Franjo, kiu ĵus revenis kaj aŭskultis la rakonton de la fratino, diris per sia akra voĉo:

— Atendu nenion, ĉar estos nenio! Sinjoro Przyjemski enamiĝis, jes, sed mi dubas, ĉu li edziĝos kun Klaro. Li estas por ŝi tro granda sinjoro... Tiaj sinjoroj nur delogas malriĉajn knabinojn kaj poste forlasas ilin.

Wygrycz tuta ektremis.

— Silentu! malgranda vipuro! — li kriis; — vi ĉiam pikas la fratinon! kiu parolis al vi pri amo aŭ edziĝo?

Li forte ektusis.

그녀 자신은 왕자공원에 가 있었고 그곳에서 프시엠스키 씨와 『스위스에서(In Switzerland)』를 함께 읽었으며, 그가 그녀에게 꽃을 주었고, 저 멀리, 궁전 앞의 공원 녹지를 배경으로 꽃밭도 보았다고 이야기를 해 주었다.

그녀 온몸은 기쁨으로 빛났다. 그녀 움직임은 우아하고 긴장되어 있었다. 그녀는 같은 곳에 머물 수 없고, 걷고, 달리고, 말하고, 자신 안에 끓어오르는 과도한 삶을 토로할 필요성을 느꼈다. 때때로 그녀는 어떤 문장 중간에서는 침묵에 빠졌고 꼼짝도 하지 않고 말을 잇지 못한 채 서 있다. 그녀 눈길과 영혼은 다른 곳에 가 있다.

비그리치는 그녀를 주의 깊게 바라보지 않았다. 그는 이제 그녀 이야기를 듣다가 명상에 잠기도 하였다. 그의 얼굴은 불쾌하지도 씁쓸하지도 않았다. 오히려 그의 핏기가 없는 입술에 장난스러운 미소가 스쳤다.

하지만 방금 돌아와서 언니 이야기를 듣고 있던 누이 프라뇨가 날카로운 목소리로 말했다.

"아무것도 기대하지 마. 아무것도 일어나지 않을 거니까! 프시엠스키 씨가 사랑에 빠졌네. 그래. 하지만 난 그이가 클라로 언니와 결혼할지는 의문이네. 그이는 언니에게 너무 큰 신사이니... 그런 신사들은 불쌍한 소녀들을 유혹하기만 하지, 나중에는 떠나가지."

비그리치는 온몸을 떨었다.

"입 다물어! 작은 독사같으니!" 아버지가 소리쳤다. "언제나 언니를 찌르는구나! 누가 너더러 사랑이니, 결혼이니 그런 이야기 하라 했어?"

그 아버지에게 기침이 심하게 나왔다.

Ambaŭ fratinoj rapidis al li, alportis akvon, teon, pastelojn, sed kvankam la atako ne longe daŭris kaj Franjo, riproĉata de sia konscienco, fariĝis tre karesema por la patro kaj fratino, la gajeco de Klaro malaperis, kiel flamo de kandelo sub blovo.

Certe, ŝi sciis; ke junaj knabinoj, se ili amas kaj estas amataj, edziniĝas. Sed ŝi pensis tre malofte pri tio kaj en la nuna okazo ŝi pri tio ne pensis eĉ unu momenton. Vidi sinjoron Przyjemski kaj paroli kun li estis la superlativo de ŝiaj deziroj. La fratino maldelikate deŝiris la virgan vualon, kovranta la revojn de ŝia koro. En ŝia cerbo, kiel muŝo en aranea reto, skuiĝis la vortoj de Franjo: „Li estas tro granda sinjoro por ŝi." Klaro ĉiam sentis lian superecon en la instruiteco kaj eleganteco. Krome, kvankam li estis nur la unua el la princaj servistoj, kompare kun ŝi li estis granda sinjoro. Li nomis la princon sia amiko, li mastrumis en la princa domo, kvazaŭ en sia. Kiu scias, eble li estas riĉa! La lasta supozo plej multe ĉagrenis ŝin.

Sur la fundo de sia koro ŝi sentis, ke kvankam kompare kun li ŝi estas malriĉa, modesta knabino, nenio nevenkebla apartigis ilin.

— Se li nur amas min... ŝi pensis. En ŝia koro kantis la magia vorto: „Li amas! li amas!" Kiam ŝia patro foriris en sian ĉambron legi ĵurnalon, pruntitan de oficeja kolego, kiam Staĉjo jam ekdormis kaj Franjo sin senvestigis.

두 자매 모두 아버지께 달려가 물, 차, 기침 방지용 드롭프스를 가져 왔지만, 그 기침의 급습은 오래지 않고, 양심의 가책을 느낀 작은 딸은 아버지와 언니에게 매우 다정하게 대하게 되었지만, 큰딸의 유쾌함은 마치 바람 앞의 불꽃처럼 사그라졌다.

확실히 클라로는 알고 있다. 젊은 아가씨들은 만일 사랑하고 사랑을 받는다면, 결혼하게 된다. 그러나 그녀는 그 점에 대해 거의 생각하지 않았으며, 이번 경우에는 그 점에 대해 단 한 순간도 생각하지 않았다. 프시엠스키 씨를 만나 그이와 이야기 나누는 것이, 그녀가 바라는 염원의 최상 일이었다. 어린 누이가 큰 언니 마음의 꿈을 가리던 처녀 베일을 거칠게 찢어 놓았다. 거미줄에 걸린 파리처럼 그녀 머릿속에 작은 누이 말이 매달려 있었다. "그이는 그녀에게 너무 큰 신사이니….." 클라로는 항상 교육과 늠름함에서 그이의 대단한 수월성을 느꼈다. 게다가 그이가 비록 왕자를 모시는 여러 봉사자 중의 첫 번째 신하라고 해도, 그녀에 비하면 대단한 신사였다. 그는 왕자님을 자기 친구라고 불렀고, 마치 자신의 집인 것처럼 그 왕자궁전에서 관리하고 있다. 그이가 부자라 해도 누가 알겠는가! 마지막 가정假定은 그녀를 가장 당황하게 했다.

그녀 마음 저 아래에는, 그이에 비해 자신이 가난하고 방정한 소녀일지라도, 마음속으로는 그 둘을 갈라놓을 수 있는 것은, 이겨낼 수 없을 정도로, 아무것도 없다고 느꼈다.

"만약 그이가 나만 사랑한다면…" 그녀는 생각했다. 그녀는 마음속으로 "그이는 사랑한다! 그이는 사랑하고 있어!" 라는 마법의 단어로 노래하고 있다. 그녀 아버지가 신문을 읽으러 자신의 방으로 갔을 때, 남동생 스타쵸는 이미 잠들었고, 작은 누이는 잠옷으로 이미 갈아입었다.

Klaro kuris sur la balkonon.

La vespero estis varma, sed nuba. Neniu stelo brilis sur la ĉielo; des pli helaj ŝajnis la fenestroj de la palaco. La vento jen blovis de la nuboj, jen tute ĉesis. Subite ĝi ekblovis pli forte kaj disportis en la du ĝardenoj ondon de muzikaj tonoj.

Malantaŭ la altaj, mallarĝaj lumaj fenestroj la fortepiano kaj violonĉelo ludis muzikon solenan kaj seriozan.

Klaro trakuris la ĝardenon kaj haltis ĉe la krado apud la siringa laŭbo. Apogita al la krado ŝi aŭskultis kaj ĉesis pensi pri io ajn. Neesprimebla plezurego plenigis ŝian animon. La nuba nokto, la fenestroj brilantaj alte en la mallumo, la ĝemoj de la vento, la fluo de solenaj tonoj, formis unu estetikan tuton. Sed ĉiujn sentojn superregis en ŝi kortuŝiĝo, dankemo, pasia celado de ŝia animo al ĉi tiuj brilaj fenestroj, similaj al la pordoj de la paradizo, tra kiuj venis lumo kaj anĝela harmonio. Kun la okuloj levitaj al la helaj punktoj, ŝi rigardis kaj aŭskultis, rememorante la vortojn: „Niaj animoj estos kune!" Kiel prava li estis! La muziko estis lia animo, kiu malleviĝis al ŝi kaj karesis ŝin per dolĉa, bruliga ĉirkaŭpreno.

Ŝi kovris la vizaĝon per la manoj kaj rapide spirante ensorbis la muzikajn tonojn, pensante, ke ŝi ensorbas lian animon. La kvaronhoroj pasis. Subite ĉio silentiĝis.

클라로는 발코니 위로 달려갔다.

저녁은 따뜻했지만 흐렸다. 하늘에는 별이 전혀 보이지 않았다. 궁전 창문들이 더 밝아 보였다. 한번은 구름이 있는 쪽에서 바람이 불어왔다. 그러다가 한번은 완전히 멈췄다. 그때 갑자기 바람이 더 세게 불기 시작했고 그녀 집 정원과 왕자궁전 정원에 음악 파도가 퍼지게 되었다.

크고 좁은, 불 켜진 창문 뒤에, 그랜드피아노와 첼로로 장중하고 진지한 음악이 연주되었다.

클라로는 정원을 가로질러 달려가, 라일락 정자 옆 격자 울타리에 멈춰 섰다. 그녀는 격자 울타리에 기대어 귀를 기울인 채 아무 생각도 하지 않았다. 말로 표현할 수 없는 크나큰 즐거움이 그녀 영혼을 가득 채웠다. 구름이 있는 밤, 어둠 속에 불 켜진 높다란 창문, 바람의 한숨 소리, 장중한 음색 흐름이 하나의 아름다움 전부를 형성했다. 그러나 그녀의 모든 감정은, 낙원의 문들과 비슷한, 이 불빛 창문들을 향한 그녀 영혼을 감동과 감사, 열정적 목표에 지배되었으며, 이 창문들을 통해 빛과 천사의 조화가 생겨났다. 그녀는 눈을 들어, 위쪽의 밝은 곳들을 바라보며 "우리 둘의 영혼은 함께할 겁니다!" 라는 말을 들었던 것을 기억하면서 연주를 들었다. 그이 말이 참으로 옳았다! 그 음악은 그녀에게로 내려와 달콤하고 불타는 포옹으로 그녀를 애무하는 그이의 영혼이 되었다.

그녀는 두 손으로 얼굴을 가리고, 급한 호흡을 통해 그이 영혼을 흡수하고 있다고 생각하면서, 음악적 멜로디를 흡수했다. 십오 분이 지나고 또 십오 분이 지났다. 갑자기 모든 것이 조용해졌다.

En la palaco oni ĉesis ludi, sed post kelkaj minutoj eksonis muziko pli mallaŭta, kvazaŭ pli malproksima, ĉar la violonĉelo eksilentis, la fortepiano kantis sola. Ĝia kanto daŭris sufiĉe longe, la violonĉelo silentis. Subite en aleo ĉe la krado eksonis mallaŭta paŝado. Klaro rektiĝis, ektremis. Trans la krado, kontraŭ ŝi staris alta viro, eleganta kaj gracia eĉ en la mallumo. Li prenis ambaŭ ŝiajn manojn en siajn kaj flustris:

— Mi nepre devis vidi vin hodiaŭ ankoraŭ unu fojon. Ludante, mi pensis senĉese: „Mi iros al ŝi!" Mi lasis la violonĉelon kaj diris al li: „Ludu, ludu seninterrompe!" ĉar mi volis kun vi paroli, akompanata de muziko. Kia nuba nokto! kiel siblas la vento! La tonoj de la muziko kune kun la bruo de la vento formas iajn aerajn arabeskojn. Ni aŭskultu.

Li premis ŝiajn manojn pli kaj pli forte, li proksimiĝis sian kapon al ŝia. Momenton ili staris tiamaniere, aŭskultante. La melankolia kaj pasia kanto kuniĝis kun la bruo de la vento, kiu blovis de la nuboj kaj kune kun ĝi revenis al la nuboj. La muziko fluis en la silentan mallumon de la parko.

— Ĉu mi bone faris, ke mi venis? Mi devis vin vidi kaj adiaŭi por la tuta morgaŭa tago. Hodiaŭ, tuj, venos mia onklo kaj ni forveturos al li por tuta tago... Mi revidos vin nur postmorgaŭ. Ĉu mi bone faris, ke mi venis, hodiaŭ por unu momento?

궁전에서 그들은 연주를 멈췄지만, 몇 분 뒤 음악 소리가 마치 더 멀게, 더 작아지기 시작했다. 그건 음악 소리 중 첼로가 조용해졌고 그랜드피아노만 혼자 노래 불렀기 때문이다. 그 노래는 충분히 오랫동안 계속되고, 첼로는 조용했다. 갑자기 격자 울타리 옆 산책로에서 낮은 발걸음 소리가 들렸다. 클라로는 자신의 몸을 바로 세우고 몸을 떨었다. 격자 울타리 건너편에는 어둠 속에서도 늠름하고 우아한 키 큰 남자가 서 있었다. 그가 그녀 두 손을 잡고 속삭였다.

"난 아가씨, 당신을 오늘 한 번 더 꼭 만나야 한다고 스스로 말했어요. 연주하면서 난 '내가 그녀를 만나러 갈 거야.' 라는 생각이 끊임없이 들었어요. 나는 첼로를 그만 연주하고, 그 사람에게 말해 두었어요. '이 연주를, 이 연주를 끊지 말고 계속해 주오!' 나는 당신을, 연주를 들으면서, 만나 함께 지내고 싶었어요. 구름도 제대로 자리한 밤이네요! 이 바람은 어찌 저리도 다정하게 부는지! 음악 음색이 저 바람 소리와 한데 어울려 뭔가 공중의 화려한 아라베스크를 만들어 놓네요. 우리 함께 들어 봐요."

그는 그녀 두 손을 더 세게 잡고, 자신의 머리를 그녀 머리로 가까이 두었다. 잠시 그 둘은 그런 식으로, 연주를 들으면서 서 있었다. 우울하고도 열정적인 노래는, 저 구름 쪽에서 불어오는 바람 소리와 한데 어울리다가 나중에는 저 구름 쪽으로 돌아갔다. 음악은 공원의 잠잠한 어둠 속으로 흘러가고 있었다.

"내가 나오길 잘했지요? 내일 온종일 다른 일이 있어 당신과는 함께 있지 못할 일이 생겼어요. 작별 인사를 오늘 한 번 더 오늘 하려고요. 오늘, 곧, 삼촌이 오실 것이고, 우리는 내일 온종일 그분을 뵈러 갈 겁니다... 난 당신을 모레에나 볼 수 있으니까요. 그러니 내가 오늘 잠깐 나오길 잘했지요?

Ĉu mi bone faris?

Preskaŭ senkonscia, ŝi flustris:

— Oh, bone!

Li altiris ŝin, tiel, ke ŝi tuta kliniĝis al li, kaj flustris:

— Iru al la pordeto en la krado, mi ankaŭ iros tien, ni renkontos unu la alian, ni promenos en nia aleo, ni eksidos sur nia benko...

Ŝi nee skuis la kapon kaj flustris petege:

— Ne... Ne petu min... oh, ne petu min... ĉar... mi iros...

Per kolera movo li forpuŝis ŝin, sed post sekundo li ree altiris ŝin al sia brusto.

— Vi estas prava, ne iru! Mi dankas vin, ke vi ne iris! Apartigu nin la ĉirkaŭbaro... Sed ne fortiru la kapon... proksimigu ĝin... klinu ĝin... Jes, tiamaniere, mia kara!

Ŝia kapo kuŝis sur lia brusto. En mallumo jen silenta, jen brua de la venta siblado, la fortepiano kantis, sopiris, amis... La vizaĝo ĉe ŝia vizaĝo, la rigardo en ŝiaj okuloj, li demandis:

— Ĉu ci amas min?

Kelke da sekundoj ŝi silentis; poste, kvazaŭ plej mallaŭta blovo, el ŝia ekstaze malfermita buŝo eliĝis flustro:

— Mi amas!

— Oh, mia plej amata!

En la sama momento okazis io eksterordinara.

내가 잘했지요?"

거의 의식을 내려놓은 듯이 그녀는 속삭였다.

"오호, 잘했어요!"

그가 그녀를 끌어당기는 바람에 그녀 몸이 그에게 완전히 쏠렸다. 그때 그가 다정하게 작은 소리로 말했다.

"울타리의 저 작은 출입문으로 나와요, 나도 거기로 갈 거요, 우리는 거기서 만나, 산책로에서 걸어보기도 하고, 우리 벤치에 앉을 것이고…"

그녀는 안된다는 듯이 고개를 내저으며, 애원하며 속삭였다.

"안 돼요…. 그런 말 하지 말아요…. 아, 그렇게 요청하지는 마세요…. 왜냐면… 돌아가야 해서요….."

그는 화난 몸짓으로 그녀를 밀쳤지만, 잠시 후 다시 자기 가슴에 그녀를 끌어당겼다.

"당신 말이 맞아, 그곳엔 우리는 가지 말아요! 당신이 가지 않아 줘서 고마워요! 이 울타리가 우리를 분리해 있도록 둡시다... 하지만 머리를 그쪽으로 내빼지는 말아요... 머리를 이쪽으로 더 가까이 와요…. 고개를 숙여 봐요…. 바로, 그렇게, 내 사랑!"

그녀 머리가 그의 가슴에 놓였다. 어둠 속에서 때로는 고요하고 때로는 휘파람 소리 같은 바람이 불고 그랜드피아노는 노래하고, 그리워하고, 사랑했다…. 그의 얼굴은 그녀 얼굴에 닿고, 그녀 눈빛은 그를 바라볼 뿐. 그때 그는 물었다.

"당신, 나 사랑해?"

몇 초 동안 그녀는 침묵했다. 그런데 그녀의 가장 부드러운 숨결처럼 그녀의 황홀하게 열린 입에서 속삭임이 흘러나왔다.

"사랑해요!"

"아, 최고의 내 사랑!"

바로 그 같은 순간, 놀라운 일이 일어났다.

Jam de kelkaj minutoj homa figuro aperis el la mallumo kaj kelkfoje jen proksimiĝis mallaŭte al la parolanta paro, jen time foriris. Ĝi estis homo en vesto kun metalaj butonoj, kiuj bruis sur lia brusto kaj manikoj ĉiufoje, kiam li estis en malpli densa ombro. Li ne povis aŭdi la flustron de la paro, eble li eĉ ne vidis la virinan silueton malantaŭ la vira figuro, sed la lastan li rekonis bone kaj kelke da minutoj li rondiris ĉirkaŭ ĝi, ne sciante, kion fari.

Ĉe la krado la viro kliniĝinta al la virina kapo kuŝanta sur lia brusto, flustris:

— Rigardu min! ne kaŝu vian buŝon... Vane, vane!... Mi ĝin trovos, mi havos ĝin...

En ĉi tiuj vortoj, kvankam ili estis diritaj tre mallaŭte, sonis paroksismo pasia de homo, kutiminta venkadi.

Kelke da paŝoj malantaŭ li voĉo timema kaj respektoplena, sed klara, diris:

— Via princa moŝto!...

La viro ektremis de la kapo ĝis la piedoj, mallevis la manojn kaj turninte sin al la voĉo, demandis:

— Kion?

— La onklo de via princa moŝto venis kaj ordonis serĉi ĉie vian princan moŝton...

Nur nun tiu, al kiu oni diris ĉi tiujn vortojn, komprenis ĉion. Kun kolera gesto kaj per voĉo tremanta de ekscito li ekkriis:

— For!

몇 분 전부터 어둠 속에서 한 사람의 모습이 보이더니 때로는 이야기를 나누는 그 커플에게 조용히 다가가고, 때로는 두려운 마음으로 다시 달아나기도 했다. 그 사람 모습은 덜 짙은 그늘에 있을 때, 가슴과 양 소매에 덜거덕거리는 금속 단추가 달린 제복 입은 남자였다. 그는 그 커플의 속삭임을 듣지는 못했다. 어쩌면 그 남자는 그 커플 중 남자 모습 뒤에 있는 여자 실루엣을 미처 보지 못했을지도 모른다. 하지만 그는 그 남자 모습을 잘 알아보고는 어떻게 해야 할지 몰라 몇 분 동안 남자 주위를 맴돌았다.

격자 울타리에서 그 남자는 자신의 가슴에 놓인 여자의 머리로 몸을 구부리며 속삭였다.

"날 좀 봐! 입을 가리지 말고… 그래도, 기어코! 내가 찾아낼 거야, 내가 그걸 가질거야…."

이 말은 아주 부드럽게 말하긴 했지만, 이런 순간을 즐기는데 익숙한 남자의 격정이 소리 났다.

그 남자 뒤에서 몇 걸음 떨어진 곳에서 조심스럽고도 정중하고, 분명한 목소리가 들려왔다.

"왕자 자가!"

그 말을 들은 남자는 머리부터 발끝까지 몸을 떨며 두 손을 내리고, 자신을 그 목소리가 나는 쪽으로 돌리고는 물었다.

"뭐라고?"

"자가의 숙부님께서 자가를 찾아 모셔오라고 여기저기 명을 내렸습니다요…."

이제 이 말을 들은 사람은 모든 것을 이해하게 되었다. 그는 화난 몸짓과 흥분으로 떨리는 목소리로 외쳤다.

"썩 꺼져!"

En la aleo ekkraketis rapide forkurantaj paŝoj. Li ree turnis sin al la knabino, kiu malantaŭ la krado staris rigida, ŝtoniĝinta.

Provante ekrideti, li komencis paroli.

— Ĉio malkovriĝis! Malbenita lakeo!... Ne koleru, mi agis tiamaniere por ne timigi vin...

Kun larĝe malfermitaj okuloj ŝi ekflustris:

— Vi... la princo?

En ŝia flustro estis io preskaŭ freneza.

— Jes, sed ĉu tial...

Li provis ree kapti ŝiajn manojn. Sed ŝi levis ilin al la kapo, dronigis en la haroj. Ŝia laŭta, malespera ekkrio plenigis la du ĝardenojn. Ŝi forkuris terurita kaj malaperis en la mallumo.

산책로에서 남자의 발걸음 소리가 빠르게 달아났다. 왕자는 격자 울타리 뒤에 겁에 질린 채, 돌처럼 뻣뻣하게 서 있는 아가 씨에게 다시 한번 몸을 돌렸다.

그는 웃으려고 노력하면서 말을 시작했다.

"모든 것이 밝혀져 버렸네! 저런 빌어먹을 하인 녀석 같으니 라고! 화내지 마. 내가 너를 겁내지 않게 하려고 그렇게 행동했 거든…"

그녀는 눈을 크게 뜨고 작은 소리로 말을 시작했다.

"그럼, 당신이… 왕자 자가?"

그녀 속삭임에는 거의 미친 듯한 뭔가가 있다.

"그렇소. 그런데 그게 뭐 어째서…"

그는 다시 그녀 양손을 잡으려고 했다. 그러나 그녀는 자기 양손을 머리 위로 들어 올려, 머리카락 속으로 움켜 집어넣었다. 그녀의 크고 절망적인 외침이 그 두 정원을 가득 채웠다. 그녀 는 겁에 질린 채, 달아나, 어둠 속으로 사라져버렸다.

Ĉapitro V

Post tri tagoj la princo revenis vespere de sia onklo. Unu horon post la reveno li iris en la aleo de la parko. Lia vizaĝo estis malgaja, malĝoja... Antaŭ la herbaĵa benko li haltis, rigardis ĝin kaj ĉion ĉirkaŭe. Estis la momento, kiu antaŭiras la krepuskon. Sur la herbo malantaŭ la dikaj trunkoj brilis la oraj strioj de la sunaj radioj; sur la tero, en la aleo tremis oraj rondoj kaj rondetoj. Inter la herboj de la benko velkis kelkaj forgesitaj floroj.

Ĉio restis sama, kia ĝi estis en la sama horo antaŭ tri tagoj.

Per rapida movo la princo sidiĝis sur la benkon, demetis la ĉapelon, apogis la frunton sur la manplaton kaj flustris:

— Malfeliĉo!

Antaŭ unu horo, tuj post la reveno, kiam li estis sola kun la ĉambristo Benedikto, li demandis mallonge:

— Kiaj novaĵoj?

— Malbonaj, via princa moŝto!... Ili transloĝiĝis...

— Kiu? ekkriis la princo.

— La Wygrycz'oj.

제5장

3일 뒤 저녁에 왕자는 삼촌 댁에서 돌아왔다. 돌아온 지 한 시간 뒤, 그는 공원 산책로를 걸었다. 그의 얼굴은 우울하고 슬펐다…. 그는 풀밭 벤치 앞에 멈춰, 그 벤치와 주변의 모든 것을 살펴보았다. 황혼이 질 순간이다. 두툼한 나무 둥치들 뒤의 풀밭에는 아직 태양 광선의 황금빛 줄무늬가 빛났다. 땅바닥에도, 또 산책로에도 금빛 원과 작은 원들이 떨고 있었다. 벤치 주변 풀 사이에 잊힌 꽃 몇 송이가 시든 채 있다.

모든 것이 사흘 전, 같은 시간대다.

왕자는 서둘러 벤치에 앉아 모자를 벗고는, 손바닥에 이마를 대고 혼잣말을 조용히 했다.

"불행이네!"

한 시간 전, 돌아오자마자 시종 베네딕토와 단둘이 남아 있을 때, 그는 간단히 물었다.

"소식이 따로 있는가요?"

"자가, 나쁜 소식입니다! 그네들이 이사를 했습니다…."

"누가요?" 왕자가 소리쳤다.

"비그리치 가족입니다."

— De kie ili transloĝigis?

— De sia dometo en la ĝardeno.

— Kiam?

— Hodiaŭ, frumatene.

— Kien?

— Mi ankoraŭ ne scias; sed se via princa moŝto ordonas...

Li volis diri: „mi ekscios", sed li preferis ne fini la frazon. Li atendis. La princo silentis. Li rigardis tra la fenestro kaj ne turnante sin demandis ankoraŭ:

— Vi ne vidis ŝin?

Kontraŭe, Benedikto ŝin vidis. Por observi la najbaran dometon, hieraŭ vespere post la deka horo li iris en la aleon ĉe la limo de la parko. Subite li ekaŭdis ploron. Li singarde proksimiĝis kaj kaŝinte sin malantaŭ arbo li vidis ŝin malantaŭ la krado. Ŝi genuis, apogante la manojn kaj frunton al la krado. Larmoj fluis de ŝiaj okuloj. Ŝi levis unu fojon la kapon kaj rigardis la palacon. Poste ŝi ree ekploris kaj tiel kliniĝis al la tero, ke ŝiaj manoj kaj frunto malaperis en la herbo. Sed kiam sinjoro Przyjemski komencis ludi en la palaco, ŝi salte leviĝis kaj kuris en la dometon. Tio ĉi estis hieraŭ inter la deka kaj dek unua horo. Hodiaŭ matene en la sepa horo Benedikto iris al sia konato, kiu loĝas kontraŭ la domo de Wygrycz, kaj li eksciis, ke la Wygrycz'oj transloĝiĝis tuj post la leviĝo de la suno

"그들은 어디에서 이사했나요?"

"저 정원에 있는 그네들의 작은 집에서입니다."

"언제요?"

"오늘, 이른 아침입니다."

"어디로요?"

"아직 모르겠어요. 하지만 자가께서 명하시면….."

시종은 "알아볼 수 있습니다." 라고 말하고 싶지만, 그 문장을 끝내지 않기를 더 원했다. 그는 기다렸다. 왕자는 침묵했다. 왕자는 돌아보지도 않고 창밖을 여전히 내다보며 물었다.

"그 아가씨를 못 봤나요?"

정반대다. 시종 베네딕트는 그녀를 보았다. 그는 이웃집을 살피러 간밤 10시 지나, 공원 경계에 있는 산책로에 가 보았다. 갑자기 그는 울음소리를 듣게 되었다. 그는 조심스럽게 다가갔고, 자신이 나무 뒤에 숨어 있다가 격자 울타리 너머에 있는 그 아가씨를 보았다. 그녀는 무릎을 꿇고 격자 울타리를 손으로 잡고 이마를 기대고 있었다. 그녀 눈에 눈물이 흘러내렸다. 그녀는 한번 고개를 들어 궁전을 바라보았다. 그러고는 그녀는 다시 울기 시작했고, 손과 이마가 풀밭 속에 사라질 정도로 갑자기 주저앉았다. 그러나 프시엠스키 씨가 궁전에서 연주를 시작하자 그녀는 벌떡 일어나 자신의 작은 집으로 달려갔다. 이것이 어제 10시에서 11시 사이에 벌어진 일이었다. 오늘 아침 7시 시종 베네딕토는 비그리치의 집 맞은편에 사는 지인 집을 찾아갔는데, 비그리치 가족 전부가 해가 뜬 직후 이사했고,

kaj ke en ilia domo ekloĝis maljunulino kun servistino kaj kato.

Tion ĉi Benedikto diris unutone, kvazaŭ raporton. La princo, ne turnante sin de la fenestro, diris:

— Vi povas foriri.

Al la ĉambristo ŝajnis, ke la voĉo de la princo estis tute ŝanĝita.

Post momento la princo sidis sur la herbaĵa benko kaj malĝoje meditis.

— „De kiam ĝi flugis per songo la ora...“ Ŝi forflugis. Sed tio estas bagatelo. Nenio estas pli facila, ol trovi ŝin. Li diros unu vorton al Benedikto, kaj morgaŭ aŭ post du tagoj li ekscios, kien ŝi transloĝiĝis.

Sed ĉu li devas serĉi? Ŝi forkuris. Ŝia virina instinkto puŝis ŝin al forkuro. Tia estas la natura leĝo. La ino forkuras, se ŝi ne volas meti neston kun la persekutanto. Klaro, tiel prudenta kaj tiel noble fiera, komprenis, ke ŝia feliĉo daŭrus ne longe, ke la malfeliĉo estus granda. Ŝi forkuris plorante, sed ŝi forkuris.

En ĉi tiu infano, kia forto de volo! Tamen por li ŝi estis cedema; ankaŭ li en similaj cirkonstancoj estas tre malforta; kiu scias, kio estus okazinta? Feliĉe tio ne okazis. Neniam li pardonus al si.

Ĉu do li devas serĉi kaj rekomenci?... ree meti ŝin en danĝeron? Ŝin, ĉar por li... ah, en ŝi li vidis sian savon,

그 집에 어떤 노부인이 하녀와 함께 와서 사는데 고양이도 키운다는 소식을 들었다.

베네딕트는 보고를 드리듯이 간단히 말했다. 왕자는 창문에서 돌아서지도 않고 말했다.

"이젠 그만 가 보게."

시종에게는 왕자 목소리가 완전히 변한 것 같았다.

잠시 뒤, 왕자는 풀밭 벤치에 앉아 슬픈 마음으로 생각에 잠겼다.

'그 새는 금빛 꿈의 날개로 날아간 뒤로…' 그녀가 날아가 버렸구나. 그러나 그것은 사소한 일이다. 그녀를 찾는 일보다 더 쉬운 일은 없다. 그가 시종 베네딕트에게 한마디만 하면 내일이나 이틀 뒤면 그녀가 어디로 이사했는지 알아낼 수 있다.

하지만 그가 클라로 아가씨를 찾으러 가야 할까? 그녀는 달아나 버렸다. 그녀의 여성적 본능이 그녀를 달아나게 했다. 그러한 것이 자연법칙이다. 여성은, 자신을 쫓아다니는 이와 둥지를 틀지 않으려면 달아난다. 매우 신중하고 고상하고 자긍심이 큰 클라로는 자신의 행복이 오래가지 못함을 알고 불행이 크다는 것을 이해했다. 그녀는 울면서 달아났다. 그녀는 달아났다.

이 아가씨에게 염원이 그리도 컸는데! 그를 위해서 그 아가씨가 양보했다고 여겼다. 그 역시 비슷한 상황에서 매우 유약하다. 무슨 일이 일어났을지 누가 알겠는가? 다행히 그런 일은 일어나지 않았다. 그는 결코 자신을 용서하지 않을 것이다.

그렇다면 그는 그녀를 찾아내, 다시 시작해야 하나? 그녀를 다시 위험에 빠뜨려야 하나? 그녀 때문에… 아, 그녀를 만나면서 그는 자신의 구원을 보았고,

revivigitan kredon pri multaj aferoj, kies ekzistadon li neis. Dum ĉi tiuj kelkaj tagoj li sentis sin renaskita... Posedi ĉi tiun estaĵon tiel puran, tiel allogan, tian korpon kaj tian animon!... Nur vidi ŝin nun estus grandega feliĉo!... Se li revidus ŝin, li petus ŝian pardonon, ke li rompis ŝian trankvilecon, ke li forpelis ŝin el ŝia modesta loĝejo, ke li estis kaŭzo de ŝiaj larmoj! Jes, sed post la peto pri pardono kio okazus? „Di' lasu vin por sia glor' tiel bela kaj pura kaj ĉarma!" Sed li ne lasus ŝin tia. Se ili ree renkontus unu la alian, certe Dio ne povus gardi ŝin! Domaĝe estus, se velkus tia floro, tamen...

Li leviĝis kaj daŭrigis la promenon. En la aleo, najbara al la ĝardeno de Wygrycz, li haltis. Li rigardis la dometon, precipe la balkonon, sur kiu iu estis. Sur la mallarĝa benko sidis maljunulino en nigra vesto kaj blanka kufo. Ŝi trikis ŝtrumpon, kaj la ŝtalaj trikiloj brilis en la radioj de la suno, kvazaŭ fajreroj.

— Sendube sinjorino Dut... kiewicz.

Li konsideris momenton, malfermis la pordeton en la krado kaj eniris en la najbaran ĝardenon. La maljunulino, ekvidinte la vizitanton, forlasis la seĝon kaj kiam li salutis ŝin per la ĉapelo, ŝi ekparolis kun bonkora rideto sur la larĝa buŝo.

— Se via princa moŝto volus sidiĝi sur mia malgranda balkono, tio estus por mi granda honoro... Mi petas vian princan moŝton!...

그가 부정했던 많은 것들에 대한 믿음이 되살아났음을 보았다. 요 며칠 새 그는 다시 태어난 기분이다… 이토록 순수하고, 너무나 매력적인 그런 육체와 그런 영혼을 소유한다는 것! 지금 클라로를 보기만 해도 엄청난 행복이다! 만약 그가 클라로를 다시 만나면, 그는 그녀 평화를 깨뜨린 것에 대해, 또 그녀의 수수한 집에서 그녀를 쫓아낸 것에 대해, 또 그녀 눈물 원인이 모두 자기 때문이라고 용서를 빌고 싶다! 그렇다. 하지만 용서를 구한 뒤에는 어떻게 될까? "하나님께서 자신의 영광을 위해, 당신을 예쁨과 청순, 매력으로 살아가게 해 주시길!" 그러나 그는 클라로를 그런 사람으로 살아가도록 놔두지 않았다. 만약 그둘이 다시 만난다면, 하나님께서는 그녀를 지켜주시지 못하실 것이다! 그런 꽃이 시들면 아쉽다. 하지만…

왕자는 걷기를 계속했다. 클라로 비그리치의 정원에 인접한 산책로에서 왕자는 멈춰 섰다. 그가 그 집을 바라보고, 특히 누군가 보이는 그 발코니에 주목했다. 좁은 벤치에는 검은 드레스와 하얀 모자를 쓴 노부인이 앉아 있다. 그녀는 긴 양말을 뜨개질하는데, 강철 뜨개질바늘이 햇빛에 불꽃처럼 빛났다.

'필시 두트… 키에비치 부인이구나.'

그는 잠시 고민하다가 그 격자 울타리 출입문을 열고, 이웃집 정원으로 들어갔다. 노부인은 방문객을 보고 의자에서 일어났다. 그 방문객이 모자를 들어 인사하자, 그녀는 입을 크게 벌리며, 다정한 웃음을 지으며 말을 시작했다.

"왕자 자가께서 저희의, 이 작은 발코니에 앉으시겠다면, 저에게는 큰 영광이겠습니다… 왕자 자가께 앉기를 청합니다!"

Ŝi akompanis la vortojn per multe da riverencoj, kiuj ne estis facilaj sur la malgranda balkono, kies parton okupis dika kato, kuŝanta sur granda kuseno. Malgraŭ manko de spaco la maljunulino faris profundajn riverencojn, balanciĝante kaj sidetiĝante. Ŝia jupo leviĝis kaj oni vidis blankajn ŝtrumpojn kaj tolajn ŝuojn.

— Via princa moŝto faru la honoron al mia malriĉa dometo kaj volu sidiĝi... Mi aŭskultos vian princan moŝton...

Ŝi ankoraŭ unufoje riverencis, montrante la blankajn ŝtrumpojn, kaj sidiĝis sur la antaŭa loko, metante sur la genuojn la trikilojn kaj la laboraĵon.

La princo ne sidiĝis, li suriris la balkonon, malkovris la kapon kaj demandis:

— Ĉu sinjoro Wygrycz kaj lia familio ne loĝas plu ĉi tie?

— Ili ne loĝas plu, ne loĝas... — jesis la maljunulino, balancante la kapon, — hodiaŭ matene ili transloĝiĝis, kaj nun mi estas najbarino de via princa moŝto... he, he, he!...

La princo demandis per velura voĉo:

— Ĉu mi havas la honoron paroli kun sinjorino Dutkiewicz...

— Jes, via princa moŝto, Dutkiewicz, preta servi vian princan moŝton.

— Ĉu oni povus ekscii, kien transloĝiĝis la Wygrycz'oj?

그녀는 수없이 정중한 큰절을 하면서 그 말을 동시에 하는데, 작은 발코니에서는 쉽지 않았다. 그중 한켠에 넓은 방석에 누워 있는 뚱뚱한 고양이가 자리하고 있었다. 공간이 좁아도 노부인은 깊숙한 큰절을 하며, 몸이 흔들리고 살짝 앉기를 반복했다. 노부인 치마가 살짝 올라갈 때마다 흰색 양말과 베로 만든 신발이 드러났다.

"왕자 자가께서 저희의 이 누추한 집을 방문해 영광으로 만드시니, 어서 여기로 앉으십시오…. 제가 왕자 자가 말씀을 듣겠습니다…."

그녀는 다시 한번 흰 양말이 보이도록 큰절하고, 뜨개질바늘과 일감을 자신의 무릎에 올려놓고 이전에 앉았던 자리로 가서 앉았다.

왕자는 앉지 않고 발코니로 가, 머리에 쓴 모자를 손에 들고는 물었다.

"비그리치 씨와 그의 가족은 더는 이곳에 거주하지 않나요?"

"그 가족은 더는 여기 거주하지 않습니다, 여기 없습니다…." 노부인은 고개를 흔들면서도 동의했다. "오늘 아침 그 가족이 이사했습니다. 이제 제가 왕자 자가의 이웃이 되었습니다…. 헤, 헤, 헤"

왕자는 부드러운 목소리로 물었다.

"두트키에비치 부인과 대화를 할 수 있어 영광입니다…."

"예, 자가, 그냥 두트키에비치 라고 불러 주십시오. 이 사람은 자가를 위해 준비가 되어있습니다."

"비그리치 가족이 어디로 이사했는지 알 수 있을까요?"

La afabla kaj bonkora rideto malaperis de la vizaĝo de la maljunulino; ŝia mieno fariĝis malĝoja kaj serioza. Ŝi levis la bluajn okulojn kaj diris, skuante la kapon:

— Ne, tio estas sekreto.

Ŝi levis sian sulkiĝintan fingron al la buŝo kaj ripetis:

— Ne, tio estas sekreto.

Sed la gesto faligis la volvaĵon, kiu ruliĝis de la genuoj sur la truplenan plankon. Ŝi provis altiri ĝin per la fadeno, sed vane.

La princo levis ĝin kaj donis al ŝi. La maljunulino salte leviĝis de la benko kaj refaris profundan riverencon.

— Mi dankas vian princan moŝton... Via princa moŝto penis por mi... mi dankas...

La princo staris apogita al la balkona kolono. La sulko sur lia frunto pli profundiĝis, la vangoj ruĝiĝis. Li demandis:

— Ĉu vi opinias, ke estos malfacile al mi trovi la novan loĝejon de Wygrycz... se mi serĉus?

Ŝi kunmetis siajn mallongajn, dikajn fingrojn kaj diris:

— Al via princa moŝto ĉio estas facila... Kiam oni posedas tiajn rimedojn kaj povon! Via princa moŝto tuj trovus la loĝejon, sed...

Ŝi malice ridetis.

— Sed via princa moŝto ne serĉos.

노부인 얼굴에서 친절하고 선한 미소가 사라졌다. 그녀 표정은 슬프고 진지해졌다. 그녀는 파란 눈을 치켜뜨며, 고개를 내저으며 말했다.

"안됩니다, 그건 비밀입니다."

그녀는 주름진 손가락을 입에 가져가, 되풀이해서 말했다.

"안됩니다, 그건 비밀입니다."

그러나 그 행동으로 인해 그녀의 두툼한 실타래가 떨어져, 자신의 무릎에서 구멍이 많은 바닥으로 굴러갔다. 그녀는 실을 이용해 그 실타래를 당겨 보려 애썼으나 소용이 없다.

왕자가 그 실타래를 집어 그녀에게 주었다. 노부인은 벤치에서 벌떡 일어나, 다시 한번 큰절을 했다.

"왕자 자가께 감사드립니다…. 자가께서 저를 위해 애를 써주시니… 감사합니다…."

왕자는 발코니 기둥에 기대어 서 있다. 그의 이마 주름이 더깊어지고 뺨은 붉어졌다. 그는 물었다.

"비그리치 가족의 새 거주지를 내가 찾기 어려울 것 같나요…. 내가 찾아본다면?"

그녀는 짧고 두꺼운 손가락들을 모으고는, 말했다.

"자가께 모든 것이 쉽습니다… 그런 수단과 능력을 가지고계실 때는요! 자가는 즉시 그 거주지를 찾으시겠지만…"

그녀는 사악하게 웃었다.

"그러나 자가는 찾지 않으실 겁니다."

La princo sendube estis observema homo, ĉar eĉ la maljunulinon li rigardis atente. Krome, ŝia kufo ornamita per puntoj rememorigis al li multon. Dufoje li vidis ĝin en la manoj de Klaro.

Li krucigis la manojn sur la brusto kaj demandis:

— Kio donas al vi la certecon, ke mi ne serĉos?

La maljunulino ekpalpebrumis por siaj senharaj palpebroj kaj respondis:

— Ĉar via princa moŝto estas bona... mi tion vidas. Eh, eh, mi manĝis panon ne el unu forno, mi vidis multajn princojn kaj grafojn dum mia juneco, kiam mi estis ĉambristino en riĉaj domoj. Mi ĉion divenas per plej malgranda bagatelo. Ekzistas diversaj princoj, kiel ekzistas diversaj simplaj homoj. Sed via princa moŝto estas bona. Bagatelo montris tion al mi: via princa moŝto levis de la tero mian volvaĵon, via princa moŝto estimas maljunecon. Ekzistas multaj princoj kaj simplaj homoj, nur imagantaj, ke ili estas princoj, kiuj neniam farus tion por simpla maljunulino. Via princa moŝto havas bonan koron kaj scias respekti, kion ordonis respekti Dio kaj la homoj. Tion montras al mi via nobla vizaĝo, via agrabla parolado kaj... la volvaĵo.

Ŝi amike, bonkore ekridis.

La princo staris kun mallevita kapo:

— Via opinio tre flatas min... sed mi tre dezirus scii, kiamaniere fariĝis la chassé-croisé? kio estis la kaŭzo? Kiu postulis?

왕자는 의심할 여지 없이 관찰을 잘 하는 사람이었기에, 그 노부인도 주의 깊게 살펴 보았다. 그 노부인의 레이스로 장식된 보닛 모자도 그에게 많은 것을 생각나게 했다. 그는 그 모자를 클라로 손에서 두 번이나 보았다.

그는 가슴에 두 손을 얹고 물었다.

"내가 그 가족을 찾지 않는다는 그 확신은 어디에서 나온 거요?"

노부인은 털이 없는 눈꺼풀을 껌벅이고는 대답했다.

"왕자 자가는 착한 분이니까요… 저는 그 점을 봅니다. 에, 에, 저는 한 집 벽난로에서만 빵을 먹은 게 아닙니다. 젊었을 때, 제가 부잣집 시녀로 일하면서, 왕자님과 백작을 여러분 뵌 적이 있습니다. 저는 가장 작은 사소한 일로 모든 것을 추측합니다. 사람이 다양하기도 하지만 단순하기도 합니다. 왕자님들도 다양하더이다. 하지만 왕자 자가는 착하십니다. 사소한 일이 제게 그걸 알려줍니다. 자가께서는 제 실타래를 땅에서 주워 주셨으니, 자가께서 노인을 존중하실 줄 아십니다. 왕자님들이라 해도, 또 자신을 왕자라고 상상만 하는 단순한 사람들도 하찮은 노부인을 위해 결코 저 실타래를 줍는 수고는 하지 않습니다. 자가께서 마음이 선하시고, 하나님과 백성이 공경하라고 명하신 것을 공경할 줄 아십니다. 그게 자가의 고귀한 얼굴, 자가의 상냥한 말투, 또… 저 실타래가 제게 보여주는 것입니다."

그녀는 친절하고 착한 마음으로 웃었다.

왕자는 고개를 숙이고 서 있다.

"노마님, 그 의견이 정말 제 마음에 듭니다…. 그런데 chassé-croisé[12]가 어떻게 되어가는지 정말 알고 싶습니다. 그 원인은 무엇이었나요? 누가 요구한 일인가요?"

---

12) *역주: (프랑스어) 얽히고설킨 일

La maljunulino rapide skuis la kapon.

— Mi komprenas, mi komprenas! Ŝi postulis tion, ŝi mem... Ŝi alkuris al mi hieraŭ el la preĝejo, kie ŝi preĝis la tutan matenon, kaj sin ĵetinte al miaj piedoj, rakontis al mi ĉion... Al kiu ŝi povus konfesi tion krom mi? Mi lulis ŝian patrinon kaj ŝin mem sur miaj brakoj. Ĉirkaŭprenante miajn genuojn, ŝi petis: „Eklaĝu tie, avinjo, kaj ni transloĝiĝos en vian loĝejon... ĝis...“ Via princa moŝto komprenas? „Sed, — aldonis ŝi — mi ne parolos pri ĉi tio kun la patro, ĉar oni devas paroli kun li malvarmasange, kaj mi ne povus fari tion...“ Mi do iris mem kaj mi ĉion rakontis al sinjoro Teofilo, klarigis, proponis: Li estas prudenta homo. Li komprenis kaj konsentis, li eĉ dankis min. Kiam Klaro revenis hejmen, li kisis ŝin kaj iom riproĉis... nur iom... Nokte li multe tusis, sed la tuso pasos, pasos. Hodiaŭ frumatene mi transportigis ĉiujn miajn vestaĵojn kaj meblojn ĉi tien kaj iliajn en mian loĝejon. Kaj jen mi estas. Mi diris ĉion al via princa moŝto, ĉar mi devis tion fari. Oni ne ĉiam estas estro de la propra koro, ĉu oni estas princo, ĉu vilaĝano. Kiam la koro doloras, ĝi doloras, kruele do estus lasi doloron en malcerteco. Mi ĉion diris al via princa moŝto.

La princo longe silentis. Lia vizaĝo estis nun severa, pala. Fine, levinte la kapon, li demandis:

노부인은 재빨리 고개를 흔들었다.

"제가 무슨 말인지 알겠습니다, 알겠습니다! 그 아이가 스스로 그걸 원했습니다…. 그 아이가 어제 아침 내내 성당에서 기도하고 나서는, 그 성당에서 제게 달려와, 제 발 앞에 몸을 던지고 모든 것을 말하더군요…. 그 아이가 저 말고 누구에게 그걸 고백할 수 있겠어요? 저는 그 아이 어머니도 커오는 것 봐왔고, 그 아이도 품에 안아 키웠지요. 제 무릎을 껴안고 그 아이가 간청하더군요. '거기 머물러 주세요, 할머니. 저희가 할머니 댁으로 이사하구요…. 그때까지….' 왕자 자가는 그 말 이해하겠어요? 그 아이 말이 '하지만 저는 이 문제를 아버지께 말씀 못 드리겠어요. 아버지는 다른 분들과 말씀하실 때는 냉정하게 대하시니, 저는 말씀드리지 못하겠어요….' 그래 제가 직접 그 아이 아버지, 테오필로 비그리치 씨를 만나러 가서, 말하고, 설명하고, 제안했답니다. 그이는 사람 말을 이해할 줄 압니다. 그이는 이해하고 동의했으며 심지어 제게 고맙다고 하더군요. 클라로가 집에 돌아왔을 때, 그이는 자기 딸에게 키스하고, 딸을 꾸짖었어요. 아주 조금만… 간밤에 그이는 기침을 많이 했지만, 그 기침이야 지나가고, 지나갈 거예요. 오늘 아침 일찍 저는 제 모든 의복과 가구를 여기로 옮겼고, 그 가정도 필요한 물건을 제가 사는 곳으로 옮겼습니다. 그래서 제가 여기 있는 거예요. 저는 왕자 자가께 이 모든 걸 의무감으로 말씀드립니다. 사람은, 그 사람이 왕자님이든, 마을 사람이든, 자기 마음의 주인으로 언제나 있지는 못하지요. 사람이 아플 때는 그 마음이 아파요. 그 아픔을 불확실한 채로 놔두는 것은 잔인한 일이지요. 그래서 제가 왕자 자가께 이 모든 말씀을 드리는 겁니다."

왕자는 한동안 말이 없었다. 이제 그의 얼굴은 단호하고 창백해졌다. 마침내 그는 고개를 들고 물었다.

— Ĉu vi konsentus, ke mi vidu ĉi tie lastfoje fraŭlinon Klaron en via ĉeesto?

Larmoj aperis en la bluaj okuloj de la maljunulino. Levante al li sian sulkiĝintan, rozan vizaĝon, ŝi flustris:

— Via princa moŝto, mi estas orfino kaj zorgas pri orfoj... kvankam tre malriĉa...

Subite, la kato en sia blanka kaj flava vesto, kiu ĵus vekiĝis kaj oscedis post la dolĉa dormo, saltis sur la genuojn de sia sinjorino. Ĝia petolo faligis teren la volvaĵon kaj la kato mem implikiĝis en la fadenoj.

— For! — ekkriis sinjorino Dutkiewicz, — for! sur la kusenon! Sur la kusenon!

Per la naztuko, per kiu ŝi estis viŝonta la okulojn, ŝi ekbatis la katon, kiu desaltis de ŝiaj genuoj kaj tiris post si la ŝtrumpon, trikilon kaj fadenojn. Sed neniu interesiĝis pri la sorto de la ŝtrumpo kaj de la piedoj de la kompatinda kato. La princo staris nun tute proksime de la maljunulino, kiu volis fini la interrompitan frazon:

— Kvankam tre malriĉa...

— Ne finu, sinjorino! Ĉion, kion vi povus diri pri fraŭlino Klaro, mi scias, kaj eble eĉ pli multe, ol vi. Ĉu vi konsentos diri kelke da vortoj de mi al fraŭlino Klaro?

Sinjorino Dutkiewicz momenton rigardis lin per siaj palpebrumantaj okuloj.

"클라로 양을 노마님이 계시는 이곳에서 마지막으로 한번 더 만나는 데 동의하겠습니까?"

노부인의 파란 눈에 눈물이 고였다. 그녀는 자신의 주름진 장밋빛 얼굴을 왕자를 향해 들어 올리며 낮은 소리로 말하였다.

"왕자 자가, 저는 고아이고 고아들을 돌보고 있습니다... 비록 매우 가난하지만…."

갑자기, 잠에서, 달콤한 잠에서 깨어나 하품하던 하양과 노랑이 섞인 고양이가 그 부인의 무릎 위로 뛰어올랐다. 그 녀석의 장난으로 그녀 실타래가 다시 땅에 떨어졌고, 고양이가 그 실타래를 엉망으로 얽혀 놓았다.

"저리 가!" 두트키에비치 부인이 외쳤다. "저리 가! 저 방석으로! 저 방석으로 가!"

노부인은 자신의 눈을 닦으려던 손수건으로 고양이를 때렸다. 그 바람에 고양이가 무릎에서 뛰어내리면서 긴 양말과 뜨개질 바늘, 실을 끌고 갔다. 그러나 불쌍한 고양이의 발에 걸린 긴 양말의 운명에는 아무도 관심이 없다. 이제 왕자는 중단하던 말을 끝내려는 노부인 바로 옆에 다가섰다.

"아주 가난하긴 해도…"

"그 말씀은 끝내지 마세요, 노마님! 노마님이 클라로 양에 대해 무슨 말을 어떻게 할지, 그 모든 것을 나는 압니다. 아마도 부인보다 더 많은 것을 알고 있습니다. 제가 클라로 아가씨에게 몇 마디 말을 하는 것에는 동의하겠어요?"

두트키에비치 부인은 깜박이는 눈으로 잠시 그를 바라보았다.

— Ĉu via princa moŝto serĉos ŝin?

Li silentis, mallevinte la kapon. Post momento li diris:

— Mi ne serĉos ŝin.

— Honora vorto princa? — ŝi demandis.

Li tre paliĝis. Li terure suferis, li ja bruligis post si la pontojn. Post mallonga silento, li respondis:

— Honora vorto de honesta homo.

La vizaĝo de la maljunulino ekbrilis de ĝojo.

— Nun mi aŭskultas vian princan moŝton. Oni ne ĉiam estas estro de la propra koro, kaj kiam ĝi doloras, ĝi doloras... Se oni povas verŝi sur ĝin guton da balzamo, kial ne fari tion? Kion via princa moŝto ordonos diri al ŝi?

— Diru al fraŭlino Klaro, ke miaj agoj estis nek ŝerco, nek kaprico... En la komenco tio estis simpatio, kaj poste amo kaj respekto, — respekto al ŝia senmakula pureco kaj nobla animo... Diru al ŝi, ke pro ĉi tiu respekto mi rezignas mian amon, ke neniu disiĝo, — kaj nur Dio scias, kiom da ili mi travivis! — tiel malfeliĉigis min, ke mi deziras, ke la memoro pri mi...

La voĉo mankis al li, en liaj okuloj ekbrilis larmoj.

— Mi havas la honoron saluti vin, — li diris kaj rapide foriris.

La maljunulino rapide leviĝis kaj faris du riverencojn, ree montrante la blankajn ŝtrumpojn.

"자가께서 그 아이를 찾으시겠어요?"

그는 고개를 숙인 채 침묵했다. 잠시 후 그는 이렇게 말했다.

"나는 그 아가씨를 찾지 않을 겁입니다."

"영예로운 왕자님이 하시는 말씀이지요?" 노부인이 물었다.

그는 매우 창백해졌다. 그는 극심한 고통을 느꼈고, 그는 자신의 뒤에 있는 다리를 불태웠다. 잠시 침묵한 뒤, 그는 이렇게 대답했다.

"정직한 사람이 하는 영예로운 말입니다."

노부인의 얼굴은 기쁨으로 빛났다.

"이제 저는 왕자 자가의 말씀을 듣습니다. 사람은 자기 마음의 주인이 언제나 되는 것은 아니지요. 사람이 아플 때는, 그 마음이 아픕니다…. 그 위에 진통제 한 방울을 부을 수 있다면, 왜 그걸 안 하겠어요? 왕자 자가께서 그 아이에게 무엇을 명하시겠습니까?"

"클라로 양에게 내가 한 행동은 농이 아니었고, 변덕스러움도 없었다는 말을 전해 주시오.. 처음에는 동정이었지만 나중에는 사랑과 존경이었다는 말을요. 그녀의 티끌 없는 순수함과 숭고한 영혼에 대한 존경입니다… 그렇기에 이 존경심 때문에, 내게는 이번 이별만큼 나를 이렇게 불행하게 만든 이별이 없음에도, 나는 이 사랑을 포기합니다. 그리고 오직 하나님만이 내가 그 많은 이별을 겪은 것을 아십니다! 그리고 나는 염원합니다. 나에 대한 추억일랑…."

그의 목소리는 사그라졌고, 그의 눈에 눈물이 반짝였다.

"내가 노마님께 인사드리게 되어 영광이었습니다." 라고 말하고 그는 급히 떠났다.

노부인은 재빨리 일어나 두 번 정중히 큰절하자, 다시 그녀의 흰 양말이 보였다.

Poste ŝi eksidis sur la benko, almetis tukon al la okuloj kaj ekploris. La kato en la blanka kaj flava vesto, ne povante liberigi la piedojn el la fadenoj, sidis kune kun la ŝtrumpo, trikiloj kaj volvaĵo sur la alia fino de la balkono kaj petege rigardante sian sinjorinon, miaŭis.

En la palaco la vicon de salonoj jam lumigis lampoj kaj kandelaroj.

Princo Oskaro, enirante en sian luksan kabineton, sin turnis al Benedikto, kiu sekvis lin.

— Ĉu Jozefo, la ĉambristo, jam estas eksigita?

Benedikto konfuziĝis;

— Ankoraŭ ne, via princa moŝto... La knabo ploras kaj petegas...

— Li restu.

Li pensis: „Ĉu tio estis lia kulpo?"

— Petu sinjoron Przyjemski, ke li venu.

Per rapidaj paŝoj li promenis en la granda ĉambro, en, kiun post kelkaj minutoj enkuris viro tridekjara, nigrahara, malalta, kun saĝaj okuloj, vivaj movoj, kun maltima, gaja mieno.

— Vi alvokis min. Ĉu ni ludos aŭ skribos?

La princo haltis antaŭ li.

— Bona ideo, mia kara! Freneziga doloro turmentas min de la piedoj ĝis la kapo, kaj vi proponas al mi ludadon aŭ skribadon!... Jen kial mi alvokis vin... morgaŭ ni veturos en la kamparon...

그다음 노부인은 벤치에 앉아 손수건으로 눈을 가리고 울기 시작했다. 발코니의 다른 끝에는 하양과 노랑이 섞인 그 고양이가 긴 양말과 뜨개질바늘, 실타래와 함께 얽혀 있는 실에서 빠져나오지 못한 채, 애원하듯 자기 주인을 바라보며 야옹거렸다.

왕자궁전의 여러 홀에는 이미 램프와 샹들리에가 켜져 있었다.

호화로운 집무실로 들어간 오스카로 왕자는 그를 따라온 베네딕트에게로 향했다.

"시종 요세포는 이미 해임되었나요?"

베네딕토는 혼란스러웠다.

"아직은 아닙니다, 왕자 자가… 그 소년이 울면서 애원하고 있습니다…."

"그를 그대로 있도록 놔두세요."

그는 생각했습니다. '그게 그의 잘못인가?'

"프시엠스키 씨를 오라고 하세요."

왕자는 빠른 걸음으로 큰 집무실에서 서성거리고 있고, 몇 분 뒤, 검은 머리에 키가 작고, 지혜로운 눈과 민첩한 행동의, 두려움 없는 명랑한 얼굴의 서른 살 남자가 뛰어 들어왔다.

"저를 찾으셨네요. 함께 놀이할까요, 아니면 글을 쓸까요?"

왕자는 그 앞에 멈춰 섰다.

"좋은 생각이네, 자네! 발끝부터 머리끝까지 극심한 고통으로 나는 괴로워하고 있는데, 자네는 내게 놀이하자, 글을 쓰자 제안하니!... 이게 내가 자네를 부른 이유일세…. 내일 우리는 시골로 마차를 끌고 나가 보세….

volu hodiaŭ aranĝi ĉiujn aferojn kun intendantoj, advokatoj k. t. p. Se ili volos paroli kun mi, ili venu tien. Ĉi tie mi ne povas resti, mi ne povas! Mi bezonas aeron, ŝanĝon, forgeson. Mi volas ankaŭ, ke ŝi povu reveni en la lokon, kiun ŝi amas... Faru do por mi oferon, lasu la fraŭlinojn Perkowski kaj veturu kun mi... Sed se vi ne volas forlasi la urbon, restu, sed tute sola tie mi freneziĝus de malespero...

Przyjemski eksidis sur apogseĝo kaj iom ŝerce diris:

— Ĉu efektive via malespero estas tiel granda?

La princo ree haltis antaŭ li kaj respondis:

— Ne ŝercu, Julio. Mi estas trafita pli profunde, ol mi mem pensis. Mi suferas, kiel kondamnito.

Przyjemski fariĝis serioza.

— En tia okazo, tio tre ĉagrenas min. La fraŭlinoj Perkowski estas malsaĝaj kaj afektemaj kreaĵoj, kiujn mi forlasos kun plezuro, kaj mi estas preta veturi morgaŭ kun vi. Sed mi neniam supozus, ke la momentoj, kiujn vi pasigis sub mia nomo, tiel tragedie finiĝos.

La princo eksplodis.

— Mia Julio, sola vi scias, kion mi pensas pri la homoj. Ili estas aŭ flatuloj, aŭ ventoflagoj, aŭ sendankaj...

— Mi multfoje aŭdis tion, — interrompis Przyjemski.

오늘 모든 일을 그 관리인들, 변호사들, 또 기타 등등의 사람들과 준비하고 싶네. 만일 그들이 나에게 할 이야기가 있다면, 그곳으로 오게 하게. 난 여기에 더 머물 수 없네. 그럴 수 없어! 네겐 공기와 변화, 또 잊는 게 필요하네. 나는 또한 그 아가씨가 자신이 사랑하는 집으로 돌아올 수 있기를 바라네... 그러니 나를 위해 한 가지 일을 해 주게. 페르코브스키 씨 댁의 아가씨들을 데리고 와, 나와 함께 마차를 탈 수 있게 해 주게... 하지만 자네가 이 도시를 떠나고 싶지 않다면 더 머물러도 되지만, 거기에 나 혼자 있으면 나는 절망으로 미쳐버릴 거야…."

프시옘스키는 안락의자에 앉아 농담으로 말했다.

"절망감이 정말 그리도 크십니까?"

왕자는 다시 그의 앞에 멈춰 서서 이렇게 대답했다.

"농담은 말게, 율리오 프시옘스키. 나는 나 자신이 생각한 이상으로 더 깊은 영향을 받았네. 나는 죄수처럼 고통받았네."

프시옘스키는 심각해졌다.

"그런 경우에는 저도 너무 마음이 아픕니다. 페르코브스키 씨 댁의 아가씨들은 어리석고 감상적인 사람입니다. 나는 즐거이 그들과 헤어질 수 있고, 내일 왕자 자가와 함께 떠날 준비가 되어있습니다. 하지만 왕자 자가가 제 이름으로 보내신 순간들이 이토록 비극적으로 끝날 줄은 꿈에도 몰랐습니다."

왕자가 폭발했다.

"나의 율리오, 내가 사람들을 어떻게 생각하는지 아는 사람은 자네뿐이야. 그들은 아첨하는 사람이거나, 바람의 깃발이거나, 감사할 줄 모르는 작자들이야…"

"저는 그런 말을 여러 번 들었습니다." 프시옘스키가 말을 끊었다.

— Ankaŭ la virinoj: ili estas aŭ malsaĝaj kaj enuigaj, aŭ amuzaj kaj malĉastaj: aŭ en ilia korpo loĝas samtempe du spiritoj: ĉiela kaj infera.

— Ankaŭ ĉi tion mi aŭdis.

— La vivo estas unu granda sensencaĵo. Dum la homo kredas, li estas feliĉa, sed li estas infano. Ekzistas homoj kiuj restas infanoj la tutan vivon. Sed tiuj, kiuj perdis iluziojn?... Se ĉio estas mensogo, erariga ombro, efemero...

— Mi aŭdas pri tio tre ofte.

— Sed ĉi tie mi trovis, kion mi ĉesis kredi. Mi trovis tion en ŝi kaj en la ŝiaj... Eĉ en la vidvino de la veterinaro estas io, io tia...!

— Kia vidvino? de kiu veterinaro? — ekmiris Przyjemski.

— Vi ne konas ŝin, tio estas indiferenta! Sed en ili estas io tia!... Kaj ŝi, ŝi...

Kun nova eksplodo li ekkriis:

— Julio, ŝi ŝutis perlojn en mian animon! Kaj kiel ĉarma ŝi estas!... Ŝi ne estas perfekte bela, sed mi ne donus cent belulinojn por ŝia simpla, modesta ĉarmo... por ŝiaj oraj okuloj!... por ŝia dolĉa rideto!...

Li mallevis la brakojn kaj sin ĵetis sur apogseĝon.

— Sed, sed „ŝi flugis per sonĝo la ora!"

Li kovris la okulojn per la manoj kaj eksilentis. Przyjemski, la gaja Przyjemski, serioze ekmeditis.

"여자들도 마찬가지이네. 그들은 어리석고 지루하거나, 재미나 즐기고 정조 개념도 없어. 아니면 그들 몸에는 천상과 지옥의 두 영혼이 동시에 살고 있네."

"그런 얘기를 저도 들었습니다."

"인생이란 하나의 크고도 말도 안 되는 일이네. 사람이 뭔가를 믿고 있는 동안, 그 사람은 행복하지만 어린아이이네. 평생을 어린아이로 남아 살아가는 사람들이 있네. 하지만 환멸을 느낀 사람들이라면? 모든 게 거짓이라면, 길을 잘못 든 그림자라면, 하루살이 같다고 한다면…."

"그런 얘기를 저도 자주 듣습니다."

"하지만 여기서 나는 믿음을 그만했던 것을 발견했네. 나는 그녀와 그녀 행동거지에서 그걸 발견했네…. 심지어 그 수의사 미망인에서도 뭔가, 그런 뭔가가 있음을 발견했네!"

"어느 미망인이라고요? 어느 수의사의 미망인인가요?" 프시엠스키가 깜짝 놀라 외쳤다.

"자네는 그분을 몰라, 하지만 그건 아무래도 좋아! 하지만 그들에게도 뭔가 그런 것이 있네! 그리고 그 아가씨, 그 아가씨가…."

왕자는 새롭게 폭발하듯 외쳤다.

"율리오 프시엠스키, 그 아가씨가 내 영혼에 진주를 뿌렸다네! 그 아가씨, 정말 매력적이야! 그 아가씨는 완벽하게 아름답지는 않아도 겸손한 매력하며… 황금 빛의 눈하며! 달콤한 미소는 백 명의 미인과도 못 바꿔!"

왕자는 자신의 두 팔을 내리고 안락의자에 몸을 던졌다.

"하지만, 그녀는 금빛 꿈의 날개를 펼쳐 날아가버렸어!"

왕자는 두 손으로 눈을 가리고 침묵했다. 프시엠스키, 쾌활하던 프시엠스키도 진지하게 생각에 잠기기 시작했다.

— Serioza do estas la afero! — li diris mallaŭte kaj fariĝis pli kaj pli malgaja.

Post momenta konsidero li leviĝis, proksimiĝis al sia nobla amiko kaj komencis paroli per konsola voĉo:

— Retrovu ŝin! La afero estas facila... en tiel malgranda urbo.

La princo levis la kapon kaj fikse lin rigardis.

— Por kio? — li diris, — ŝin eĉ por miliono vi ne aĉetos, eĉ miliono ne konsolos ŝin...

— Pardonu min, princo: Mia konsilo estis malbona. Ĝi estis diktita de mia kompato al vi pro viaj suferoj.

Nun Przyjemski komencis kuri en la ĉambro; li tiris siajn nigrajn lipharojn, pensis, fine haltis antaŭ la amiko.

— Kio do? — komencis li ŝanceliĝante. — Kion fari? Vi vane serĉis ĝis nun veran amon, feliĉon, celon k. t. p. Vi kredas, ke vi trovis ĉion ĉi en la knabino, kiun ni serĉos unu, du tagojn... Mi tion prenas sur min. Mi trovos ŝian novan loĝejon, kaj edziĝu kun ŝi?

Princo Oskaro levis la kapon kaj rigardis lin kvazaŭ ne kredante al la propraj oreloj.

— Kion vi diris?

— Vi edziĝu kun ŝi! — ripetis sentime Przyjemski.

La vizaĝo de la princo komencis rapide ŝanĝiĝi, ĝis subite rido eksplodis en la luksa ĉambro.

"심각하네요, 문제가!" 그는 낮은 소리로 말했고 점점 더 슬퍼졌다.

잠시 고민한 후 그는 일어나서 고귀한 왕자에게 다가가, 위로의 목소리로 말하기 시작했다.

"그 아가씨를 다시 찾아요! 일은 쉽습니다… 이런 작은 도시에서는요."

왕자는 고개를 들고 그를 바라보았다.

"무엇 때문에?" 그는 말했다. "자네는 그녀를 백만 루블로도 살 수 없고, 백만 루블로도 그녀를 위로하지 못할 거네…"

"용서하세요, 자가. 제 조언은 나빴습니다. 자가의 고통에 대한 제 연민이 알려 준 대로 그 말을 했던 겁니다."

이제 프시엠스키가 방에서 뛰듯이 서성거리기 시작했다. 그는 검은 콧수염을 잡아당기며 생각을 거듭하다, 마침내 왕자인 친구 앞에 멈췄다.

"그럼, 뭐랄까요?" 그는 몸을 가만두지 못한 채 말을 시작했다. "어떻게 해야 할까요? 자가께서 지금까지 진정한 사랑, 행복, 목적 등을 헛되이 찾아다녔다는 말씀이네요. 자가께서는 우리가 하루나 이틀 정도면 찾아낼 수 있을 그 여자분에게서 이 모든 것을 발견했다고 믿고 있네요… 그럼, 그 일은 제게 맡겨 주십시오. 제가 그 아가씨의 새 주거지를 찾아내겠어요. 그럼 그녀와 결혼을 하겠어요?"

오스카로 왕자는 고개를 들고 자신의 귀를 믿을 수 없다는 듯 그를 바라보았다.

"뭐라고?"

"그 여성과 결혼을요!" 프시엠스키가 두려움 없이 반복했다.

왕자 얼굴이 급격하게 변하기 시작하더니, 갑자기 호화로운 집무실에 웃음이 터졌다.

— Ha, ha, ha, ha! Ha, ha, ha, ha! —

Per voĉo, interrompata de la rido, la princo diris:

— Bonega vi estas, kara Julio, bonega! Mi pensis, ke mi mortos de ĉagreno, sed vi, ha, ha, ha! vi ridigus mortinton, ha, ha, ha! —

Li eltiris naztukon el la poŝo, levis ĝin al la okuloj kaj ridis tiel forte, ke la rido similis ploregon.

— Ha, ha, ha! Ha, ha! —   /fino/

"하, 하, 하, 하! 하, 하, 하, 하!"

왕자는 웃음이 섞인 목소리로 이렇게 말했다.

"자네는 훌륭해, 율리오 프시엠스키, 자네는 훌륭해! 내가 슬퍼 죽을 것 같은데, 자네는, 하, 하, 하, 하! 자네는 죽은 사람도 웃게 만드는군, 하, 하, 하!"

왕자는 자신의 주머니에서 손수건을 꺼내 눈가에 갖다 대더니, 통곡 울음처럼 크게 웃었다.

"하, 하, 하! 하, 하!"

끝.

우리말 역자의 짧은 후기

하얀 꽃 찔레꽃 순박한 꽃 찔레꽃
별처럼 슬픈 찔레꽃 달처럼 서러운 찔레꽃
찔레꽃 향기는 너무 슬퍼요
그래서 울었지 목놓아 울었지.
　- 가수 장사익 <찔레꽃 > 중에서

　2024년 새해 들어, 폴란드 작가 오제슈코바의 여러 단편 작품을 읽으면서 이 작가의 명작 『중단된 멜로디 La Interrompita Kanto』를 먼저 소개합니다.

　10년 전 봄, 거제대학 초빙교수실에서 강의 준비를 하고 있었습니다. 내가 가르치던 과목을 교양으로 수강하던 세무과 여학생이 나에게 전화를 걸어왔습니다. -교수님을 찾아뵙겠다면서.

　연구실에서 보면 지세포 앞바다가 펼쳐집니다. 3명의 여학생이 초빙교수 건물 2층 내 연구실을 찾아왔습니다. 나는 그들이 왜 나를 찾아왔는지 궁금했습니다. 들어보니, <연애와 사랑>을 주제로 하는 과제물을 작성하러 나의 의견을 들으러 찾아온 것입니다. 그들은 내게 연애와 사랑, 여성의 삶에 대해서 짧게 인터뷰를 했습니다.

　당시 나는 오제슈코바의 『마르타 Marta』(산지니 출판사, 2016년) 라는 작품을 이미 번역해 놓았을 때입니다. 19세기 후반의 근대 폴란드 여성의 삶이 얼마나 어려운지를 잘 알게 된 나는 여성에게, 또 남성에게 자신의 직업이 참 중요하며, 여학생에게도 자신을 둘러싼 사회환경에 대한 이해가 필요하다며, 적극적인 연애와 사랑에는 진지한 태도의 접근과 주의가 필요하다고 이야기를 나눈 것으로 생각이 듭니다.

　만일 그때 내가 오제슈코바의 다른 단편 작품 『중단된 멜로디 La Interrompita Kanto』(1894년) 작품도 읽고 번역해 두었더라면 이 작품도 그 학생들에게 당연히 소개해 주었을 것입니다. 당시 학생이라면, 신데렐라가 백마 탄 왕자님을 만나는 이야기는 이미 알고 있었을 터이니 말이다.

2024년 1월 카지미에시 베인(Kazimierz Bein)이라는 탁월한 번역가의 『중단된 멜로디 La Interrompita Kanto』를 에스페란토로 진지하게 읽으면서, 이 작품을 우리나라 독자들에게 소개하고픈 생각이 크게 들었습니다. 이 작품은 1905년 프랑스 파리에서 에스페란토판 초판이 나온 데 이어 1909년, 1922년, 1928년 재4판까지 나왔고, 에스페란토판은 아직도 인터넷을 비롯한 'E-book'으로도 만나 볼 수 있습니다. 또 이 작품은 1912년 영어 번역판이 영국 런던에서 출간되었습니다.

이 작품은 오제슈코바의 작품 세계를 다시 한번 진지하게 대하는 계기가 되고, 우리 독서계에서도 『마르타(Marta)』에 이어 소개하는 이유는 이도령과 춘향의 러브스토리를 다룬 〈춘향전〉이 생각났기 때문입니다.

'사랑하라, 한 번도 상처받지 않은 것처럼' 사랑을 노래한 구절이 있지만, 청소년기에 자신의 삶에서 사랑과 결혼, 연애와 사람들과의 교제에 깊은 고민을 하는 독자가 있다면, 이 작품을 진지하게 권하고 싶습니다.

혹시 이 작품의 독후감을 보내시려는 독자가 있다면, 역자 이메일(suflora@daum.net)로 보내주시면, 기꺼이 읽겠습니다.

역자의 번역 작업을 옆에서 묵묵히 지켜주는 가족에게 감사하며, 오제슈코바 작가의 다른 단편 작품들- 〈선한 부인〉, 〈A...B...C〉 -도 연이어 소개하는 진달래 출판사에도 고마움을 전합니다.

-2024년 2월 20일 밤....
동백꽃이 피는 쇠미산 자락에서... 장정렬 씀

편집실에서

에스페란토 홍보와 문화 사업을 위해 2020년 세운 진달래 출판사가 벌써 5년째를 맞았습니다. 110권이 넘는 많은 책을 만들면서 에스페란토 저변 확대를 위해 힘을 쏟았습니다.

또 수많은 사람의 버킷리스트인 책 출간의 기쁨을 함께 누리면서 행복한 시절을 보냈습니다.

2016년 엘리자 오제슈코바의 장편소설 『마르타(Marta)』가 산지니 출판사에서 출판되었습니다. 자멘호프 박사가 폴란드어에서 직접 에스페란토로 훌륭하게 번역한 것을 장정렬 선생님이 에스페란토에서 우리말로 번역한 것입니다.

이번에 진달래 출판사에서 같은 작가가 쓴 단편소설 『중단된 멜로디 La Interrompita Kanto』를 에스페란토-한글 대역본으로 소개합니다.

이 책은 젊은 폴란드 여성 클라로 비그리치와 부유하고 권세 있는 오스카로 왕자의 사랑이야기로 1894년 폴란드어로 처음 발표되었고, 작가의 동의를 얻어 에스페란토판이 카지미에시 베인(Kazimierz Bein) 번역으로 1905년 프랑스에서, 영어판이 오첸코브스카(M. Ochenkowska) 번역으로 1912년 영국에서 발간되었습니다.

이 작품은 신데렐라와 동화 속 왕자와 같은 이야기로, 특히 에스페란토판은 에스페란토 창안자 자멘호프(L.L. Zamenhof)도 번역의 탁월성을 인정한 작품입니다.

이 책을 통해 에스페란토 학습에도 도움이 되길 바랍니다.

- 진달래 출판사 대표 오태영

[진달래 출판사 간행목록]

율리안 모데스트의 에스페란토 원작 소설
- 에한대역본
『바다별』(단편 소설집, 오태영 옮김)
『사랑과 증오』(추리 소설, 오태영 옮김)
『꿈의 사냥꾼』(단편 소설집, 오태영 옮김)
『내 목소리를 잊지 마세요』(애정 소설, 오태영 옮김)
『살인경고』(추리소설, 오태영 옮김)
『상어와 함께 춤을』(단편 소설집, 오태영 옮김)
『수수께끼의 보물』(청소년 모험소설, 오태영 옮김)
『고요한 아침』(추리소설, 오태영 옮김)
『공원에서의 살인』(추리소설, 오태영 옮김)
『철(鐵) 새』(단편 소설집, 오태영 옮김)
『인생의 오솔길을 지나』(장편소설, 오태영 옮김)
『5월 비』(장편소설, 오태영 옮김)
『브라운 박사는 우리 안에 산다』(희곡집, 오태영 옮김)
『신비로운 빛』(단편 소설집, 오태영 옮김)
『살인자를 찾지 마라』(추리소설, 오태영 옮김)
『황금의 포세이돈』(장편 소설집, 오태영 옮김)
『세기의 발명』(희곡집, 오태영 옮김)
『꿈속에서 헤매기』(단편 소설집, 오태영 옮김)
『욤보르와 미키의 모험』(동화책, 장정렬 옮김)

- 한글본
『상어와 함께 춤을 추는 철새』(단편소설집, 오태영 옮김)
『바다별에서 꿈의 사냥꾼을 만나다』(단편집, 오태영 옮김)
『바다별』(단편소설집, 오태영 옮김)
『꿈의 사냥꾼』(단편소설집, 오태영 옮김)

클로드 피롱의 에스페란토 원작 소설
- 에한대역본
『게르다가 사라졌다』(추리소설, 오태영 옮김)
『백작 부인의 납치』(추리소설, 오태영 옮김)

장정렬 번역가의 에스페란토 번역서
- 에한대역본
『파드마, 갠지스 강가의 어린 무용수』(Tibor Sekelj 지음)
『테무친 대초원의 아들』(Tibor Sekelj 지음)
『대통령의 방문』(예지 자비에이스키 지음)
『국제어 에스페란토』(D-ro Esperanto 지음, 이영구. 장정렬
공역, 진달래 출판사, 2021년)
『황금 화살』(ELEK BENEDEK 지음)
『알기쉽도록 〈육조단경〉 에스페란토-한글풀이로 읽다』(혜능
지음, 왕숭방 에스페란토 옮김, 장정렬 에스페란토에서 옮김)
『침실에서 들려주는 이야기』(Antoaneta Klobučar 지음,
Davor Klobučar 에스페란토 역)
『공포의 삼 남매』(Antoaneta Klobuĉar 지음, Davor
Klobuĉar 에스페란토 역)
『우리 할머니의 동화』(Hasan Jakub Hasan 지음)
『얌부르그에는 총성이 울리지 않는다』(Mikaelo Brostejn)
『청년운동의 전설』(Mikaelo Brostejn 지음)

『푸른 가슴에 희망을』(Julio Baghy 지음)
『반려 고양이 플로로』(크리스티나 코즈로브스카 지음, 페트로 팔리보다 에스페란토 옮김)
『민영화도시 고블린스크』(Mikaelo Brostejn 지음)
『마술사』(크리스티나 코즈로브스카 지음, 페트로 팔리보다 에스페란토 옮김)
『세계인과 함께 읽는 님의 침묵』(한용운 지음)
『세계인과 함께 읽는 윤동주시집』(윤동주 지음)

- 한글본
『크로아티아 전쟁체험기』(Spomenka Ŝtimec 지음)
『희생자』(Julio Baghy 지음)
『피어린 땅에서』(Julio Baghy 지음)
『사랑과 죽음의 마지막 다리에 선 유럽 배우 틸라』
  (Spomenka Ŝtimec 지음)
『상징주의 화가 호들러를 찾아서』(Spomenka Ŝtimec 지음)
『무엇때문에』(Friedrich Wilhelm ELLERSIE 지음)
『밤은 천천히 흐른다』(이스트반 네메레 지음)
『살모사들의 둥지』(이스트반 네메레 지음)
『메타 스텔라에서 테라를 찾아 항해하다』(이스트반 네메레)
『파드마, 갠지스 강의 무용수』(Tibor Sekelj 지음)
『대초원의 황제 테무친』(Tibor Sekelj 지음)

이낙기 번역가의 에스페란토 번역서
- 에한대역본
『오가이 단편선집』(모리 오가이 지음, 데루오 미카미 외 3인 에스페란토 옮김)
『체르노빌1, 2』(유리 셰르바크 지음)

기타 에스페란토 관련 책(에한대역본)

『에스페란토 직독직해 어린 왕자』(생 텍쥐페리 지음, 피에르 들레르 에스페란토 옮김, 오태영 옮김)

『에스페란토와 함께 읽는 이방인』(알베르 카뮈 지음, 미셸 뒤 고니나즈 에스페란토 옮김, 오태영 옮김)

『자멘호프 연설문집』(자멘호프 지음, 이현희 옮김)

『에스페란토와 함께 읽는 논어』(공자 지음, 왕승방 에스페란 토 옮김, 오태영 에스페란토에서 옮김)

『우리 주 예수의 삶』(찰스 디킨스 지음, 몬태규 버틀러 에스 페란토 옮김, 오태영 에스페란토에서 옮김)

『진실의 힘』(아디 지음, 오태영 옮김)

『자멘호프의 삶』(에드몽 쁘리바 지음, 정종휴 옮김)

- 한글본

『안서 김억과 함께하는 에스페란토 수업』(오태영 지음)

『에스페란토의 아버지 자멘호프』(이토 사부로, 장인자 옮김)

『사는 것은 위험하다』(이스트반 네메레 지음, 박미홍 옮김)

『자멘호프 에스페란토의 창안자』(마조리 볼튼, 정원조 옮김)

- 에스페란토본

『Pro kio』(Friedrich Wilhelm ELLERSIE 지음)

『Enteru sopirantan kanton al la koro』(오태영 지음)

『Kumeŭaŭa, la filo de la ĝangalo』(Tibor Sekelj 지음)

- 박기완 박사가 번역하고 해설한 에스페란토의 고전

『처음 에스페란토』(루도비코 라자로 자멘호프 지음)

『에스페란토 규범』(루도비코 라자로 자멘호프 지음)

『에스페란토 문답집』(루도비코 라자로 자멘호프 지음)